D1542794

Ce livre appartient à

....

et a été plié par

....

ce
CHAT
qui a changé ma vie

ce
CHAT
qui a changé ma vie

ANNE-CLAIRE GAGNON

Préface de Matthieu Ricard

LAROUSSE

Concept original
Créé par Studio Fun International, Inc.,
44 South Broadway, 7th floor, White Plains, NY 10601.
Copyright © 2016 by Studio Fun International, Inc. All rights reserved.
Artfold is a trademark of Studio Fun International, Inc., a division of the Reader's
Digest Association, Inc.
www.artfolds.com

Édition française
pour la première édition
Direction de la publication
Isabelle Jeuge-Maynart et Ghislaine Stora

Direction éditoriale
Catherine Delprat

Responsable éditoriale
Nathalie Cornellana, assistée de Maria Ceglia

Graphisme
Claire Morel Fatio

pour la présente édition
Direction de la publication
Isabelle Jeuge-Maynart et Ghislaine Stora

Direction éditoriale
Sylvie Cattaneo-Naves

Édition
Barbara Janssens

Mise en page
Nord Compo

Couverture
Véronique Laporte

Fabrication
Jenny Vallée

© Dessain et Tolra/Larousse 2016
ISBN : 978-2-29-500663-9

Qu'est-ce qu'un ArtFold℠ ?

Le livre que vous tenez entre vos mains est bien plus qu'un simple livre. C'est un ArtFold℠ ! À l'intérieur, des instructions simples vous montreront comment plier les pages pour transformer ce livre en une magnifique sculpture. Rien de bien compliqué : vous avez juste à plier les coins des pages au fil de votre lecture, comme indiqué sur chacune d'elles. Au final, vous obtiendrez une véritable œuvre d'art. C'est facile, amusant et relaxant !

Mode d'emploi

Créer votre livre-sculpture est très simple !

Dans le même temps que vous lisez ce livre, vous pouvez réaliser un magnifique objet. Vous n'avez qu'à suivre les conseils et les instructions ci-dessous.

1. Pliez uniquement les pages de droite.

2. Pliez toujours vers la reliure.

3. Toutes les pages nécessitent deux pliages : le coin du haut sera plié vers le bas, et le coin du bas vers le haut.

4. Prenez le haut du coin droit de la page et pliez vers le bas, jusqu'à ce que le bord soit aligné exactement sur LE HAUT de la bande grise.

5. Prenez le bas du coin droit de la page et pliez vers le haut, jusqu'à ce que le bord soit aligné sur LE BAS de la bande grise.

6. Avec précaution, passez votre doigt le long des plis pour vous assurer qu'ils soient droits, nets et précis.

7. Si le coin plié dépasse la reliure centrale du livre, repliez simplement le bout du papier dépassant de la reliure pour que la page puisse être tournée sans difficulté.

8. Faites de même avec la page suivante et répétez cette opération jusqu'à la fin pour réaliser votre livre-sculpture.

Quelques conseils supplémentaires

- Nous recommandons de vous laver les mains et de les sécher minutieusement avant de commencer le pliage.

- Certains préfèrent s'aider d'un outil pour marquer des plis droits et nets. Une règle en métal ou tout autre objet droit et rigide peut convenir.

- Vous pouvez également faire pivoter le livre sur le côté pour plier plus aisément.

- N'oubliez pas : plus vous serez minutieux à chaque pli, plus votre livre-sculpture sera réussi !

REMERCIEMENTS

A vec toute ma gratitude à toutes celles et ceux qui ont accepté de témoigner dans cet ouvrage, dont le titre a été le sésame qui m'a ouvert vos boîtes mails, vos portes et vos cœurs, quand vous m'avez joyeusement répondu « Oui ! » pour ce projet fraternel et un peu fou. Aussi tristes, douloureuses pour certaines, émouvantes que soient les trajectoires du chat qui a changé votre vie, vous avez accepté de les partager car c'était important pour vous de témoigner. Comme il était essentiel de dire que les chats sont de votre famille dans les joies et les rires. J'espère les avoir retranscrites, en votre nom, au plus près de ce que vous avez vécu.

Place aux chats sous toutes leurs facettes,
dans notre humanité partagée.
    Ceux que nous avons aimés,
    Ceux qui vivent à nos côtés
    et ceux qu'il nous reste à découvrir,
    «puisque c'est ainsi, dans une vie d'homme,
    il y a plusieurs vies de chats*».

Mille mercis à tous les chats qui ont inspiré chacun de ces témoignages. À la pleine conscience que votre beauté, votre fantaisie et votre amour nous permet d'approcher au plus près. Chaque interview a été souvent une découverte, parfois une surprise, et toujours un cadeau.

Un remerciement particulier à Matthieu Ricard pour avoir eu la gentillesse de lire cet ouvrage et en avoir écrit une si belle préface, ainsi qu'à Philippe Muyl, Christiane Sacase et Simone Scott, qui, chacun derrière leur mail, ont eu une patience d'ange pour me lire et m'encourager au cours de ce projet.

De tout cœur à toutes et tous,

ANNE-CLAIRE GAGNON

---

* MARTHE TREBEL-SCHMIDT

À la mémoire d'Émile, mon père,
qui, le premier,
a mis la main à la patte
d'un de mes chats, Margotte,
en lui prêtant sa plume.

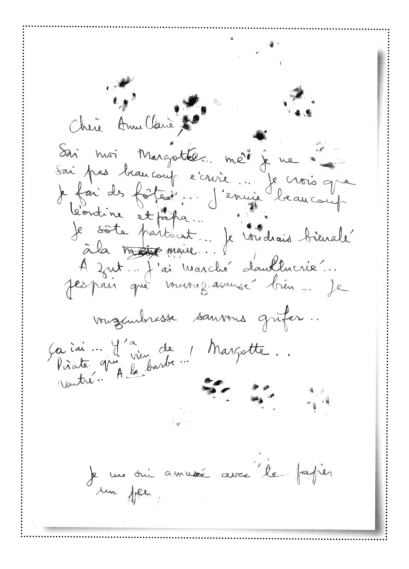

11

PRÉFACE

Nous avons presque tous vécu avec des animaux domestiques et les avons aimés. Ils nous ont ouvert les yeux sur l'intelligence animale et sur le fait qu'ils ressentent des émotions, des joies et des peurs, de la curiosité et de l'ennui, qu'ils peuvent être tristes ou honteux et qu'ils aiment jouer.

Avoir ainsi tissé des liens empathiques avec un chat ou tout autre animal de compagnie devrait nous montrer une fois pour toutes que les animaux sont des êtres sensibles et que nous devons respecter leurs aspirations à rester en vie et à éviter la souffrance. Cette prise de conscience devrait nous mener à étendre le cercle de notre considération à l'ensemble des espèces sensibles, puisqu'ils ne sont pas fondamentalement différents du chat que nous avons appris à aimer et à respecter.

Comment se fait-il, alors, que nous aimons les chats, mangeons les porcs et nous habillons de vaches ? Parfois, nous prenons soin des animaux comme s'ils étaient nos propres enfants ; parfois nous les chassons et les tuons pour notre plaisir ; parfois encore, nous portons leur fourrure avec coquetterie. Nous passons d'une attitude à l'autre comme s'il s'agissait de choix anodins alors que, pour les animaux, il s'agit d'une question de vie ou de mort. Cette incohérence procède également d'un manque de respect à l'égard des autres espèces, par ignorance, orgueil, égoïsme ou idéologie.

Dans *La Libération animale*, l'ouvrage qui a sans doute le plus contribué à améliorer le sort des animaux au cours des quarante dernières années, Peter Singer raconte qu'il fut reçu par une dame anglaise qui lui expliqua à quel point elle aimait les chats et les chiens, puis lui offrit des petits sandwichs au jambon. Elle fut quelque peu décontenancée lorsque Peter Singer lui apprit qu'il n'avait pas d'animaux domestiques et qu'il n'était pas un « amoureux des animaux ». Il voulait simplement qu'ils soient traités comme des êtres sensibles indépendants et non comme des moyens pour les fins humaines — comme l'avait été le porc dont la chair se retrouvait maintenant dans les sandwichs de son hôtesse. Cette anecdote montre bien l'incohérence que nous avons forgée entre nos sentiments profonds et notre comportement : la plupart d'entre nous aiment les animaux, mais notre compassion s'arrête au bord de notre assiette.

Compte tenu de la continuité de l'évolution, tracer des lignes de démarcation entre les individus appartenant à différentes espèces relève de la mauvaise biologie et, moralement, du spécisme. En vérité, le fait d'appartenir à l'espèce humaine ne nous confère pas une supériorité intrinsèque sur les autres espèces. Chaque espèce jouit de l'« intelligence » et des capacités particulières dont elle a besoin pour survivre et parvenir à ses fins. Qui plus est, privilégier certaines espèces parce qu'elles sont « mignonnes » et « sympathiques » relève également du spécisme.

Nous sommes tous en faveur de la morale, de la justice et de la bienveillance. Chacun d'entre nous peut donc parcourir le chemin qui mène à une plus grande cohérence éthique et mettre fin aux acrobaties de dissonances cognitives auxquelles nous nous livrons constamment pour tenter de réconcilier nos principes moraux avec nos comportements.

Comment intégrer le respect de la justice et de la morale dans les diverses relations que nous entretenons avec les animaux? C'est à cette question qu'ont répondu brillamment Sue Donaldson et Will Kymlicka dans *Zoopolis, une théorie politique des droits des animaux*[1], un ouvrage novateur sur le droit des animaux à la vie et à la liberté, qui a été récompensé par le prix bisannuel de l'Association canadienne de philosophie. Les auteurs envisagent trois principaux types de droits pour les animaux, selon leur mode de vie.

Ils proposent, tout d'abord, de traiter les animaux sauvages comme des communautés politiques souveraines, disposant de leur propre territoire, le principe de souveraineté visant à protéger les peuples contre les ingérences paternalistes ou intéressées de peuples plus puissants. Les animaux sauvages sont compétents pour se nourrir, se déplacer, éviter les dangers, gérer les risques qu'ils prennent, jouer, choisir un partenaire sexuel et élever une famille. Pour la plupart, ils ne recherchent pas le contact avec les humains. Il est donc désirable de préserver leur mode de vie, de protéger leur territoire, de respecter leur aspiration à s'autogouverner et d'éviter les activités qui leur nuisent directement (chasse, destruction des biotopes) ou indirectement (pollution, dégradations générales de l'environnement dues aux activités humaines).

En ce qui concerne les animaux domestiques qui vivent avec nous et dépendent de nous, Donaldson et Kymlicka proposent d'en faire des citoyens de nos communautés politiques. « Pourquoi des concepts tels que la communauté, la socialité, l'amitié et l'amour devraient-ils être limités au cercle de l'espèce[2]? » Ils arguent que dans de nombreuses situations, les animaux domestiques peuvent exprimer leurs préférences en venant vers nous ou en prenant la fuite, par exemple. De plus la citoyenneté ne se réduit pas au droit de vote, elle confère également le droit de vivre sur un territoire dans des conditions décentes et d'être représenté dans les institutions par des personnes de confiance, qui les perçoivent comme des individus dotés de préférences.

Quant à la troisième catégorie, les animaux, ni domestiques ni sauvages, qui vivent sur des territoires habités ou cultivés par les humains, tout en menant une existence autonome

— pigeons, moineaux, goélands, corvidés, souris et chauve-souris, écureuils, etc. —, leurs moyens d'existence sont plus étroitement liés aux activités humaines. Donaldson et Kymlicka suggèrent de les traiter comme des « résidents permanents » : ils ont le droit d'être là, ce ne sont pas des intrus et nous devons respecter leurs droits fondamentaux. Toutefois, nous n'avons pas de devoirs positifs à leur endroit, comme de les protéger des prédateurs ou de leur fournir des soins de santé.

L'ouvrage d'Anne-Claire Gagnon et les portraits des chats qu'elle nous présente, peints avec délicatesse, tendresse et compassion, doivent nous inciter à étendre aux animaux la bienveillance que, trop souvent, nous réservons à nos semblables. Celui qui n'aime qu'une petite partie des êtres sensibles, voire de l'humanité, fait preuve d'une bienveillance partiale et étriquée. En aimant aussi les animaux, on n'aime pas moins les hommes, on les aime en fait mieux, car la bienveillance croît alors en magnitude et en qualité.

MATTHIEU RICARD
Moine bouddhiste, auteur et photographe.
Cofondateur de l'association Karuna-Shechen
qui met en œuvre des projets humanitaires pour
les populations défavorisées d'Inde, du Népal et d'Afrique.
http://karuna-shechen.org

1 DONALDSON, (S.), & KYMLICKA, (W.), *Zoopolis: A Political Theory of Animal Rights*, Oxford University Press, 2011.

2 *Ibid*, p. 98.

MOUCHETTE

Librairie et café, les deux amours de Mouchette

Il suffit de passer le pont, dit la chanson, d'une île à l'autre, de l'adolescence à l'âge adulte ; mais on ne quitte pas un état pour un autre complètement indemne, ni sans un pincement au cœur, surtout quand Mouchette vous guette et vous attend devant la porte de la librairie.

J'avais 2 ou 3 ans pendant la guerre, lorsque mes parents m'ont envoyée à la campagne dans le Berry, dans ma famille maternelle, avec ma tante et marraine. C'était une femme qui adorait les chats, qui le lui rendaient bien. Ce sont elle et les chats qui m'ont élevée, mais c'est grâce aux chats que j'ai survécu. Car, une fois arrivée à la ferme, je ne voulais rien manger. Pourtant, il suffisait qu'un chat apparaisse dans mon champ de vision pour que j'accepte les bouillies. Et bien vite, dans la ferme où je vivais, j'ai eu beaucoup d'amis félins, dont un en particulier.

À Paris, mes parents avaient un café au centre de l'île Saint-Louis, et, comme pour beaucoup de restaurateurs et cafetiers, la présence d'un chat était la garantie de l'absence des souris et autres rongeurs. Plutôt que de louer un chien ratier pour une nuit, d'une redoutable efficacité, mes parents avaient choisi de prendre un chat. De ma petite enfance à l'âge adulte, j'en ai eu trois : Guiguite la sauvage, Lumine qui partageait nos repas, assise sur la banquette du café à côté de moi, les deux pattes sur le rebord de la nappe et qui venait m'attendre à la sortie de l'école, et Mouchette, une chatte tigrée d'une intelligence et d'une finesse incroyables, qui m'a accompagnée de l'adolescence à l'entrée dans ma vie de femme. Mouchette se couchait en haut du flipper, s'y endormait, visiblement bercée par le roulis des manchettes des joueurs, et se réveillait résignée pour se rétablir *in extremis* lorsqu'il y avait un *game over*!

Mouchette savait ouvrir toutes les portes, de la cave au grenier, du frigo au bistro, et adorait, bien sûr, en digne chat de gouttière, aller et venir sur la corniche de l'immeuble depuis mon appartement au premier étage. Elle affectionnait particulièrement une dame qui avait des oiseaux en volière. Cette dernière avait menacé de jeter Mouchette par la fenêtre si elle avait l'audace de revenir importuner ses oiseaux. Mouchette ne résista pas à la tentation et la dame fit ce qu'elle avait dit… Depuis ma librairie que je venais d'ouvrir en face du café de mes parents, j'ai donc vu Mouchette jetée du premier étage par cette dame excédée. Mouchette atterrit avec élégance, sans même une égratignure. Elle n'a pas été blessée, et a continué sa navette, comme moi, entre le café et la librairie, en fréquentant beaucoup d'artistes, en herbe ou confirmés, qui venaient refaire le monde de la littérature.

Quand j'ai vendu la librairie et que Frédéric et moi nous sommes mariés, Mouchette avait déjà 14 ans. Pour moi, ce n'était pas vieux, mais pour Frédéric qui n'avait jamais eu de chat auparavant, c'était beaucoup. Il ne voulait pas débuter son engagement avec la gent féline par un vieux chat. Il préférait commencer avec un chaton. Et je dois dire qu'à l'époque, je n'ai pas cherché à concilier mes deux amours, lui et Mouchette.

Mes parents, depuis leur café, me racontaient pourtant les longues attentes de Mouchette devant la librairie désormais fermée. D'y penser aujourd'hui, j'en suis encore bouleversée.

Comme Mouchette était aussi à l'aise dans le café de mes parents que dans ma librairie, qu'elle s'adaptait à tous les environnements avec une aisance rare et surtout une joie de vivre lumineuse, mes parents et moi avons décidé qu'elle irait vivre à la campagne avec eux, leur chien et ma tante qu'elle a adoptée comme sa seconde maman. Finalement Mouchette a suivi à la lettre ce que j'avais vécu pendant la guerre, avec la même maman d'adoption que nous appelions tous Marraine.

Et même si elle m'en a clairement voulu au point de me tourner le dos quand je venais la voir, elle doit à Frédéric d'avoir eu une seconde jeunesse formidable à la campagne. Avec mélancolie aujourd'hui je revois le comportement de Mouchette, son détachement à mon égard, la réserve adoptée, l'indifférence polie. Elle détournait la tête comme si elle ne m'avait jamais connue. Comme s'il n'y avait jamais rien eu entre nous, si je puis dire.

J'en ai des regrets ! Certes, elle a reporté son affection sur la personne qui était la plus proche de moi, ma marraine – j'étais heureuse de voir que Mouchette s'épanouissait, heureuse de son nouveau cadre de vie en compagnie d'un chien. Que de bouleversements pour cette citadine parisienne qui découvrait la nature ! Mais elle acceptait ce nouvel environnement, philosophe et sereine.

Jusqu'au moment même de sa mort, dans sa vingt-troisième année, elle a été élégante – elle était tranquillement assise sur une chaise quand sa tête est devenue si lourde qu'elle s'est couchée pour l'éternité. Avec une infinie douceur.

C'est vraiment Mouchette qui a ouvert la porte du royaume des chats à Frédéric Vitoux, mon mari devenu écrivain et grand ami des chats. J'ai eu beaucoup de peine lorsque j'ai dû m'en séparer, mais c'est grâce à sa sortie par la porte des artistes, côté jardin, que nous avons eu, mon mari et moi, notre premier chaton à nous deux, choisi à la Samaritaine, Nessie. Une tigrée claustrophobe qui ne sortait qu'en laisse, refusant tout ce qui ressemblait de près ou de loin à une prison : les voitures, les cages.

C'était un modèle de bonne éducation, sillonnant en laisse l'Europe avec nous, s'asseyant à table au restaurant, sage comme une image ; elle nous a accompagnés pendant quatorze ans. Puis est arrivée Papagena, devenue Papageno en sortant de sa première consultation chez notre vétérinaire, notre premier chat mâle, un trois quarts Chartreux, un quart gouttière, philosophe grave, inquiet et néanmoins le plus joueur de tous mes chats : jamais sans sa souris en peluche qui lui servait de porte-parole et de doudou consolateur. C'était un anxieux et pessimiste dans l'âme, un chat toujours dans ses pensées, très métaphysique, aux antipodes de Mouchette, rayonnante, qui allait au-devant des gens, avec une confiance dans la vie sans limites.

Elle était la gaieté même et d'une finesse absolue. Mouchette reste la lumière de mon passage de l'adolescence à la vie de femme.

Inspiré par
NICOLE CHARDAIRE,
libraire, ancienne éditrice

BAMBOU

Un amour de chat oriental

En matière d'orientation, il suffit parfois d'un chat pour décider de son métier, s'il est un peu particulier et légèrement caractériel !

Si je n'ai pas fait médecine, c'est bien grâce à Bambou ! C'est lui qui m'a donné l'amour inconditionnel des chats. Et qui m'a soutenue pendant toutes mes études.

Plus de vingt ans après, quand je suis chez mes parents et que j'ouvre ou ferme la porte, c'est à lui que je pense, et c'est pour lui que je fais attention – pour qu'il ne sorte pas malencontreusement... Je le vois toujours dans le couloir quand j'arrive. Il est gravé dans le disque dur de ma mémoire, en lettres capitales.

Je suis née dans une famille de médecins, à chats. Et nous venions de perdre Mao, mon premier Siamois, qu'on adorait. Un de nos voisins nous a dit qu'il avait un chat fou qu'il cherchait à donner.

Mon père, grand inconditionnel des chats devant l'Éternel, n'a pas cru au mot « fou » – un médecin, ça soigne, guérit, voire dompte, tout – et il a accepté de prendre Bambou. C'était un Oriental, avec un faciès très particulier pour l'époque, puisque très typé. Donc nous avons tous été très impressionnés. Comparé à Mao, il était complètement pointu, une vraie face de rat! Le chat du rabbin avant l'heure, en somme! Et surtout il était vraiment fou, tyrannique au-delà de tout.

La première nuit, il a tout cassé : les poteries dans la cuisine notamment, tout avait été haché menu. Une véritable vision d'apocalypse.

Mon père n'avait jamais vu un tel chantier, il avait les bras et les mains en sang, il était prêt à le rendre. Un chat qui griffe, mord et casse tout, c'était... indicible.

Au matin du deuxième jour, j'étais en train de prendre mon petit déjeuner, autour d'un conseil de famille qui, la mort dans l'âme, allait décider de ne pas garder ce chat. Mais c'est alors que Bambou est arrivé, s'est posé sur mes genoux et s'est mis à ronronner... Et à partir de ce moment-là, il n'a plus jamais mordu ni griffé.

Il est resté, évidemment, à fort caractère, casanier, tyrannique, un Oriental, bien sûr, le genre Siamois ninja – les comprimés avec lui, c'était non négociable, mais à côté de ça c'était un amour de chat. Uniquement avec la famille, car les étrangers, il leur crachait après !
Il avait ses rituels. Il ne dormait qu'avec mes parents, car c'étaient les seuls dont la porte de chambre restait entrouverte. Une porte fermée pour lui, c'était plus qu'une injure, une souffrance absolue.

Bambou a été le bonheur de mon adolescence ; il m'attendait quand je rentrais du collège puis du lycée, et il s'asseyait alors sur mes genoux. Je lui racontais tout et il comprenait tout. Tout au long de mon adolescence, nous avons eu d'incessantes conversations. Par sa présence et son écoute, il m'a donné une magnifique confiance dans la vie.

Mon père a fini par me dire : « Mais pourquoi ne fais-tu pas véto ? Tu adores les chats ! »

Pendant le concours véto, je me levais à 5 heures du matin pour réviser, et Bambou était là, à ronronner sous la lampe, à côté de mon café. Il a passé le concours avec moi, d'ailleurs il aurait dû être diplômé aussi. Il a été un coach hors pair.
Le soir avant d'aller dormir, il venait chercher sa dose de câlins sur mon lit. Et il fallait que tout s'enchaîne dans l'ordre. Génial mais tyrannique, Bambou !

Une fois, mes parents sont partis en vacances, et il s'est mis à hurler à la mort, alors que toutes les portes étaient, exceptionnellement, ouvertes. Il nous a rendues chèvres, ma sœur et moi ! Au troisième jour, je suis allée dormir dans le lit vide de mes parents, et tout est rentré dans l'ordre.

Bambou est tombé malade quand j'étais à l'École vétérinaire, où il n'avait pas eu le droit de me suivre – mes parents s'étaient consolés avec lui que leurs filles quittent

Rabattre le coin ici.

Rabattre le coin ici.

le cocon familial – et Bambou a d'abord été très heureux avant de développer un cancer de la gorge.

Quand j'ai dû l'euthanasier, ça a été épouvantable... car non seulement j'ai pris la décision toute seule, en tant que propriétaire, mais je l'ai fait moi-même, en tant que vétérinaire, toute seule aussi.

Ça n'était pas la première fois que je réalisais cet acte, mais c'était mon chat... donc un moment très difficile. D'autant qu'il avait toujours été rebelle aux médicaments, aux injections, raison pour laquelle je ne voulais ni que quelqu'un lui fasse mal, ni qu'il blesse quelqu'un. Je l'ai prémédiqué, et les choses se sont passées à la maison, paisiblement.

C'est une des rares fois où j'ai vu pleurer mon père comme un enfant, quand il est rentré et qu'il a compris, en voyant mes yeux...

L'euthanasie de Bambou, je m'en souviens vraiment comme si c'était hier, je ne peux pas oublier, c'était très dur. C'était le chat de toute mon adolescence. Rien n'aurait été pareil sans lui. Toute la famille lui était attachée, c'était notre ciment, notre lien, même si c'était mon chat à moi, mon doudou. Bambou m'a vraiment aidée à me construire, année après année, avec amour et patience. Mais je suis consciente que je n'ai jamais fait le deuil du chat de ma vie, Bambou, et que je cours après son fantôme quand je caresse Wally.

Inspiré par
LÉTICHAT,
vétérinaire

Rabattre le coin ici.

Rabattre le coin ici.

L'ABRICOT

Le saut de l'ange

Il suffit d'une suggestion, d'une femme, pour que tout change et qu'on découvre à pas de chat un monde qu'on ne veut plus quitter.

Bizarrement, avant L'Abricot, je n'ai jamais eu de chat. Quand j'étais enfant, mes parents avaient eu un chien, mais de toute ma vie d'adulte, je n'avais jamais ressenti la nécessité d'avoir un animal à mes côtés. Et pourtant j'aime et je filme les animaux, qui occupent souvent des rôles importants dans mes films – c'est presque une de mes marques de fabrique !

L'Abricot est arrivé dans ma vie par une amie, qui avait ramené d'Espagne deux chats, lui et sa sœur, Marissol. Elle a pris la chatte pour elle, et le chat pour moi. Elle trouvait que c'était bien que je prenne un chat, et moi je dois avouer qu'à l'époque je ne voyais pas spécialement ce qui me manquait, ni ce que la présence d'un chat pourrait m'apporter. Et puis je me suis laissé convaincre, et maintenant je n'imagine plus ma vie sans chat.

C'était un chat très amusant, L'Abricot. Il était tel que je l'ai nommé, flamboyant. Assez vif, communicatif, avec ses quarts d'heure de folie, comme ils ont tous. Il m'attendait le soir, assis sur les marches de l'escalier. Un jour, je n'ai pas été vigilant, j'ai eu le malheur de laisser

Rabattre le coin ici.

Rabattre le coin ici.

ouverte la porte de l'escalier. Il est monté tout seul sur la terrasse, et il a couru, comme il avait l'habitude de le faire dans l'appartement, sans penser qu'il était sur le toit d'un immeuble… Il a d'abord atterri sur un autre toit, en pente, et de là, il a fait un épouvantable vol plané, depuis le sixième étage. Il n'est pas mort sur le coup, mais vingt-quatre heures après, malgré les soins et l'hospitalisation chez mon vétérinaire, c'était fini.

C'est à ce moment précis, je ne l'oublierai jamais, que j'ai découvert qu'on pouvait être extrêmement malheureux à cause de la mort d'un animal, et ça, avant lui, je ne le savais pas. Je ne l'avais jamais vécu. Ça m'a totalement bouleversé… Moi qui n'ai pas d'enfants, je me suis dit : « Même un chat, je n'ai pas su m'en occuper. » Avant L'Abricot je n'avais jamais imaginé le chagrin qu'on pouvait avoir de perdre un chat – et le fait que la tristesse de pleurer un chat paraisse si étrange aux gens qui n'en ont pas. Ça a été un déchirement… indicible.

Alors je suis parti en Espagne, dans la famille où L'Abricot était né, pour trouver un de ses demi-frères, qui lui ressemble beaucoup, Rigolo, que j'ai ramené à la maison.
Et qui vit désormais avec Marissol, la jolie noire aux élégantes moustaches blanches. Mon amie m'a quitté, mais… les chats sont restés ensemble !

Voilà l'aventure de mes chats, qui partagent ma vie depuis tant d'années que je n'ose même pas les compter.

Rabattre le coin ici.

Rabattre le coin ici.

Mais le chat fondateur, c'est le premier, L'Abricot, qui m'a ouvert, avec sa disparition tragique, à une dimension que je n'imaginais pas.

Les chats m'ont vraiment rendu plus humain, et aussi plus vigilant ! L'Abricot m'a appris à être prudent, à ne pas ouvrir la porte vers le ciel.

Un chat, c'est une présence agréable, discrète, silencieuse. « Quand on a un chat dans sa maison, on n'a pas besoin de sculpture », c'est tellement beau, et formidable à observer ! Ce sont des compagnons d'écriture bienveillants. Pour lesquels j'ai réalisé un court-métrage (*Histoires de chats*, sur Vimeo) et même écrit une chanson (voir page 37).

Mais avant que les chats n'entrent dans ma vie, j'avais fait un film avec un dauphin, puis avec une vache – et j'en parle maintenant même quand je présente *Le Promeneur d'oiseau* car les gens me demandent pourquoi il y a des animaux dans mes films.

Les chats m'ont conforté dans le fait qu'il fallait considérer et respecter les animaux.

Tous les animaux ne sont pas tous facilement aimables, mais ils ouvrent l'esprit, ils incitent à la bienveillance, et j'ai mis ça dans un scénario où un de mes personnages (qui me ressemble un peu) paraphrase Gandhi : « C'est à la façon dont on traite ses animaux qu'on mesure l'humanité de la personne. »

On voit très bien comment sont les gens aux gestes qu'ils ont avec leurs animaux. Y en a qui se défoulent avec eux. Qui sont violents, comme ils peuvent l'être aussi avec des enfants.

L e rapport entre l'humain et l'animal, c'est passionnant. Une des raisons pour lesquelles je mets des animaux en scène dans mes films, c'est parce qu'ils sont des

Rabattre le coin ici.

Rabattre le coin ici.

intermédiaires, des médiateurs entre l'humain et la nature. Ils ne sont pas différents de nous, ce ne sont pas des objets étrangers – ils sont juste d'une autre nature.

Quand je caresse mes chats, je les appelle « Petite bête » ou « Petit animal », parce que c'est un petit animal mais on a une chose en commun.

Il y a les animaux et il y a les arbres dont on parle souvent en termes utilitaristes, on a besoin des arbres, des animaux. Pour l'énergie, pour notre survie.

Mais la nature, c'est au-delà de ça, c'est à respecter même si ça ne sert à rien. Parce que ça nous dépasse et nous émerveille.

Dans *Le Promeneur d'oiseau*, quand on a filmé la scène dans le grand arbre dans lequel jouent et montent les enfants, les Chinois ont fait une cérémonie au pied de l'arbre, pour lui demander l'autorisation de se servir de lui. Et ça, c'est juste, c'est un respect sincère et authentique de la nature, comme celui des animaux.

On ne les respecte pas parce qu'on a besoin d'eux, on les respecte naturellement.

Si on écoute bien les animaux, si on les observe, ils nous montrent le chemin, nous guident. Particulièrement les chats.

À cause de leur rythme, leur rapport au sommeil, leur grâce, ils nous ouvrent à un monde encore différent de celui des autres animaux et nous font changer de dimension. Avec eux, on grandit en humanité.

Inspiré par
PHILIPPE MUYL,
réalisateur et scénariste
www.philippemuyl.fr
https://vimeo.com/8615555

Que savent les hommes ?

Nous sommes leurs petites bêtes
Leurs domestiques animaux
Ils nous font la fête
Nous frottent souvent le dos
Ils cherchent nos caresses
Nos tendres ronronnements
Mais notre noble sagesse
Pour eux ce n'est rien, c'est du vent.

Que savent les hommes
Des petits êtres que nous sommes ?
Savent-ils que nos cœurs
Battent comme leurs propres cœurs ?
Et que notre bonheur
C'est de faire leur bonheur ?

Ils nous gardent bien au chaud
Dans leurs hermétiques maisons
Nourrissent nos petits corps
À coups de boîtes de ronron
Nous sommes décoratifs
Dans leurs impersonnels décors
Mais leurs mains qui souvent nous caressent
N'apaisent pas notre détresse.

Que savent les hommes
Des petits êtres que nous sommes ?
Savent-ils que nos yeux
Où brillent des ombres noires
Ne sont que les reflets
De leur secret désespoir ?

Rabattre le coin ici.

Rabattre le coin ici.

Nous leur apportons le calme
Les allégeons de leurs angoisses
Quand nous restons en silence
C'est pour le bien-être de leurs âmes
Nous les aidons à vivre
À supporter leur monde d'hommes
Et quand ils partent à la dérive
Nous esquissons un pas de danse.

Que savent les hommes
Des petits êtres que nous sommes ?
Savent-ils que dans nos yeux
L'univers entier se reflète
Et que s'ils nous trouvent étranges
C'est parce que nous sommes des anges ?

PHILIPPE MUYL

Rabattre le coin ici.

Rabattre le coin ici.

OCHA ET MIZU

Les gardiens bienveillants de ma plume

Les chats ne parlent pas mais ils façonnent notre vie et parfois, si on est à leur écoute, jusqu'à notre écriture, en particulier lorsqu'ils ont la chance de vivre aux côtés d'un écrivain.

Il y a toujours eu des chats dans ma vie – j'ai été triste d'en être privée durant les deux années que j'ai passées à Kyoto, d'autant que j'avais dû laisser en Europe les chats de ma vie d'avant le départ, qui ne m'ont pas attendue.

Et puis je me suis installée à Amsterdam dans un appartement suffisamment spacieux pour accueillir les deux Chartreux dont je rêvais depuis longtemps déjà. Aux Pays-Bas, il y a très peu d'élevages et des listes d'attente de plusieurs années ; j'ai donc rencontré une éleveuse pas très loin de Paris, femme chaleureuse dévouée à ses chats, passionnée d'éthologie, à laquelle j'ai immédiatement fait confiance. Dans sa maison, des chats mais aussi des petits chiens, des enfants, du passage, avec gaieté, effervescence mais douceur : je savais que la socialisation précoce des chatons serait excellente.

Dans la portée, il y avait trois femelles et un mâle. Cet unique mâle, donc, serait Ocha (« thé » en japonais) et l'une des femelles Mizu (« eau »). L'éleveuse l'avait choisie parmi les trois demoiselles du nid parce qu'elle était déjà le

Rabattre le coin ici.

Rabattre le coin ici.

choix d'Ocha : depuis la naissance, ils ne s'étaient jamais quittés et, à l'exclusion des autres, tétaient, jouaient et dormaient ensemble. Pourtant, Mizu a une étrange allure : des pattes avant plus courtes qui lui donnent un petit air penché, et une curieuse manière de réclamer les caresses, en se dressant sur son arrière-train façon marmotte et en moulinant dans le vide avec les pattes de devant. Une Munchkin, ai-je appris, qui court pourtant plus vite que son frère et fait preuve d'une sidérante vivacité. Ocha, lui, est un beau gosse, conforme au standard, désespérément superbe. Il ne brille ni par sa rapidité, ni par sa sagacité, mais il a avec sa sœur une relation tranquillement fusionnelle qui irradie une puissante sensation d'harmonie – au point que j'ai eu un temps peur que cet amour natif et puissant n'exclue les humains du foyer. Mais ils nous ont rapidement inclus, mon mari et moi, dans leur fraternité, et nous formons depuis une bulle osmotique de quatre mammifères en irréprochable indépendance et entente amoureuses.

Pourtant, l'arrivée de Chartreux dans ma vie a surtout eu un impact artistique. Le choix de la race tient à ma fascination pour sa force esthétique, pour la conjonction de la grâce et de l'épure des couleurs et des lignes. Pour le mélange d'argent et d'ambre, l'amabilité des courbes et la nonchalance aristocratique des poses. C'est la première fois de ma vie que deux chats ont accompagné mes heures d'écriture. Chaque matin, je me suis levée, j'ai nourri les chats, préparé du thé et je me suis assise à ma table de travail. Chaque matin, ils se sont allongés de chaque côté du grand cahier, petits gardiens bienveillants d'une chose incompréhensible mais dont ils connaissaient qu'elle m'était vitale. Nous avons travaillé tous les trois, en intelligence muette. Parfois, ils laissaient errer une patte sur les feuilles, courtisaient du coussinet ma plume ou mon clavier ; mais la plupart du temps, ils ont été les veilleurs fidèles et immobiles de ma quête silencieuse. Et aussi ses inspirateurs. Le projet que j'avais pour le roman que j'écrivais alors, intitulé *La Vie des elfes,* requérait un cadre de travail profondément esthétique et harmonieux. Ocha et Mizu ont été les suppléments d'âme magnifiques et paisibles qui ont rendu serein et scintillant le décor de l'écriture du roman.

Nous vivons maintenant à la campagne. Les chats ont découvert le grand monde, le vent, les souris, les lézards et l'ivresse de disposer d'un territoire infini. Je vais bientôt m'atteler à la suite de *La Vie des elfes* et j'ai peur de la concurrence des mulots et des battues dans la jungle des grandes herbes. Qui vivra verra. Mais je sais que j'ai besoin de leur élégance candide pour écrire, et de leur bienveillance pour m'élever.

MURIEL BARBERY,
écrivain
La Vie des elfes
L'Élégance du hérisson
Une gourmandise

Rabattre le coin ici.

Rabattre le coin ici.

STORMY

Homework

Rien de tel qu'une chatte à la maison qui développe les symptômes de la maladie sur laquelle on travaille pour comprendre de l'intérieur ce que vivent patients et propriétaires.

Il y avait trois chatons orphelins à l'université, deux très jolis et un moins harmonieux. C'était en mars 1993, alors que ma mère nous rendait visite dans l'Ohio ; nous étions tous fin prêts, avec ma femme et mes enfants, pour accueillir un nouveau chat.

Nous étions restés un moment sans, après le décès de la précédente, un temps qui nous avait été nécessaire pour faire notre deuil.

Nous avons tous regardé les chatons et c'est celui que je croyais le moins joli qui a été choisi, une chatte tigrée que nous avons baptisée Stormy ; elle est devenue, bien sûr, une splendeur puisque c'était la nôtre !

Elle avait 2 ans lorsqu'au retour de vacances en Californie, pendant l'été, Terre, ma femme, m'a appelé pour me dire que Stormy avait un souci : elle n'urinait plus dans son bac.

C'était juste au tout début où je m'intéressais à ce qui est devenu la cystite idiopathique. Nous venions de signer, à l'université, la première publication sur les moyens de résoudre cette maladie si problématique pour les chats

Rabattre le coin ici.

Rabattre le coin ici.

comme pour leurs maîtres; j'y soulignais l'importance de la qualité de l'environnement.

Stormy a subi toute la panoplie des tests d'imagerie qui étaient alors en vigueur − ce n'est pas toujours de tout repos d'être le chat d'un vétérinaire, professeur de surcroît! Son endoscopie vésicale a montré les caractéristiques classiques de la cystite idiopathique.

Nous avons donc cherché à améliorer ses conditions de vie, en l'autorisant à aller dehors, le jardin étant sans danger et dépourvu de routes à proximité. Stormy a été très raisonnable, ne s'éloignant pas des limites imparties. Cette stratégie a très bien fonctionné pour elle ; elle n'a jamais eu d'autres épisodes de cystite.

De façon intéressante, Stormy m'a devancé cependant dans mes publications scientifiques ; elle a présenté des troubles digestifs à chaque fois que les enfants, qui étaient en internat au collège, revenaient ou partaient en vacances. Chez les chats à cystite idiopathique, on sait que ces troubles sont fréquents et traduisent un tempérament anxieux.

C'était le seul moment où cela se produisait, alors même qu'elle avait une excellente relation avec eux.

Nous avions d'ailleurs établi un jeu dans la famille et même une compétition puisque le premier qui trouvait une boule de poils régurgités au sol gagnait le privilège de ne pas être de corvée de ramassage !

Stormy a vécu dix-neuf ans, en développant une maladie rénale chronique doublée de douleurs d'arthrose sur

Rabattre le coin ici.

Rabattre le coin ici.

ses vieux jours, auxquelles le très rude climat de l'Ohio a contribué. Nous lui avions installé des petites marches pour accéder plus facilement à son lit chauffant. En fin de vie, elle a fait un épisode assez court de démence sénile, juste avant de nous quitter en septembre 2012.

Stormy m'a vraiment aidé au quotidien car elle personnalisait à la maison ce que je voyais tous les jours au laboratoire, avec notre colonie de chats malades. Elle m'a vraiment sensibilisé, motivé et donné l'énergie de mieux faire, de trouver comment aider tous ces chats qui souffrent de cystite idiopathique, qu'on appelle aujourd'hui « syndrome de Pandore ».

l y a d'ailleurs eu au même moment une chatte très particulière, qui nous avait été donnée par des propriétaires épuisés par la vie avec elle et ses troubles urinaires. Cette chatte, Claire, allait tellement mal, avec une douleur chronique et des urines sanguinolentes, qu'elle était promise à une euthanasie prochaine. Elle ne se toilettait plus, urinait à côté du bac et mangeait mal.

Ces chats qui nous étaient laissés par leurs propriétaires, pour aider à la compréhension de cette affection si particulière, devaient subir au préalable une réhydratation sur quelques jours pour permettre, après leur euthanasie, des examens de qualité de leurs vessies notamment. Le protocole des soins réalisés sur ces chats avait été, bien sûr, validé par le comité d'éthique, respectueux de chacun d'eux.

Ma technicienne, Judi Stella, a proposé de mettre Claire dans une cage à mi-hauteur, pour que ce soit plus agréable, alors qu'elle avait été hospitalisée dans une cage au ras du sol.

Rabattre le coin ici.

Rabattre le coin ici.

En rentrant de week-end, Judi m'a dit que Claire allait mieux et qu'elle mangeait un petit peu. Nous lui avons accordé une semaine de sursis. Qui a été un peu prolongée.

Trois semaines après, Judi m'apporte un chat pour faire des prélèvements urinaires et j'ai eu du mal à reconnaître Claire qui avait changé du tout au tout : son poil était redevenu normal, elle profitait à nouveau de la vie. Je voyais la différence que son lieu de vie avait produite sur elle.

C'est à partir de ce moment que j'ai vraiment compris combien toutes ces petites choses qui paraissent infimes sont essentielles ; l'intendance, comme le niveau de la cage de nos chats, la qualité de la lumière, du personnel qui les soigne, et même la façon dont le ménage est fait sont primordiales. Il n'y a pas que la perfection dans le détail, il y a aussi la guérison à la clé pour ces chats. Maintenant, tous les chats hospitalisés dans le monde bénéficient de cette notion d'être à mi-hauteur, qu'ils apprécient autant que ceux qui prennent soin d'eux sans se faire mal au dos, puisqu'ils peuvent tendre leurs bras à leurs patients !

Judi, ma technicienne, m'a également appris à nettoyer correctement les cages de nos chats. Tous ont des jouets, des couvertures, etc. Et Judi a toujours eu le souci et le respect de remettre chaque objet à sa place, une fois la cage nettoyée, pour que le chat retrouve non seulement ses affaires personnelles mais au bon endroit, dans la disposition où il les avait mises. Les chats ont des préférences comme nous et c'est important de les respecter.

Son extraordinaire capacité d'observation et son intelligence pratique nous ont été précieuses à tous.

Stormy et Claire ont vraiment modifié non seulement ma vie, mais aussi celle de milliers de chats souffrant de la même maladie. Avec eux, je suis arrivé plus vite à comprendre que ce n'était pas seulement la vessie – qui n'est finalement que l'endroit où s'expriment les symptômes – mais surtout le cerveau qui est au cœur de ce problème.

Rabattre le coin ici.

Rabattre le coin ici.

Inspiré par
TONY BUFFINGTON,
professeur émérite de l'université de Columbus, Ohio
www.indoorpet.osu.edu

CACTUS ET JAZZ

Le bagarreur au grand cœur
et son copain balafré

La fraternité entre chats n'est pas un vain mot. Même avec quelques années d'écart, deux chats peuvent devenir les meilleurs amis du monde et le rester, jusqu'à leur dernier souffle.

C'est pour notre fils que nous sommes allés à la SPA chercher un chat et c'est d'ailleurs lui qui a choisi Jazz. Il voulait absolument un chat noir. Jazz était vif et semblait être en demande d'affection. Quand on mettait la main entre les barreaux de la cage, il venait tout de suite, très câlin déjà ; et, surtout, il campait ses yeux dans les nôtres, bien droits, s'accrochant à notre regard.

Jazz avait à peine 6 mois. Il avait été abandonné ou perdu et avait passé le temps légal en fourrière avant d'être mis à l'adoption. Son besoin d'affection allait en faire un compagnon idéal pour notre fils.

Sauf que… rien ne s'est exactement passé comme prévu ! De retour à la maison, à peine sorti de sa cage, au lieu d'aller regarder, sentir le nouvel environnement, il s'est jeté littéralement dans mes bras. J'étais à côté de la cage, un peu à genoux puisque je venais d'ouvrir la porte, et Jazz s'est en quelque sorte « amarré » à moi et l'est resté toute sa vie. En une seconde, je suis devenue sa maman pour la vie, c'était impressionnant et touchant.

Rabattre le coin ici.

Rabattre le coin ici.

De tous les membres de la maison, j'étais sa préférence et sa rassurance. À tel point que lorsqu'il était malade, il venait contre moi et je sentais qu'il allait mieux, il était apaisé. Il avait un besoin de fusion assez incroyable.

J'ai toujours eu des chats, mais aucun comme Jazz. Depuis que je suis petite, j'ai vécu avec des chats et c'était la condition *sine qua non* de vie commune avec mon mari : « Si tu souhaites vivre avec moi, il faudra accepter d'avoir des chats. »
Dieu merci, il n'y était pas allergique ! Et maintenant d'ailleurs, il surprotège nos deux nouveaux compagnons, compte tenu de ce qui est arrivé à Jazz et à Cactus.

Quand Jazz est arrivé à la maison, nous avions déjà Cactus, un tigré qui avait 6 ans, et a longtemps joué les jeunes hommes.
Les débuts entre eux ont été un peu houleux, mais cela n'a pas duré longtemps. Jazz voulait jouer tout le temps et Cactus n'en avait que faire.

Rabattre le coin ici.

Rabattre le coin ici.

Cactus était vraiment une crème de chat. Jamais méchant, même s'il était dominant.

Il a vite adopté Jazz, l'a coaché, cocooné à chaque étape de sa vie. Jazz et Cactus, c'était une sacrée équipe.

Les liens se sont vraiment formés de façon indélébile lors du premier accident de Jazz, quatre mois à peine après son arrivée. Nous habitons à flanc de colline, et les chats vont et viennent comme bon leur semble. Évidemment ils sortaient de concert le soir. Mais au matin en ouvrant la porte, sur le paillasson, Jazz était là, balafré, un œil exorbité – l'horreur absolue. Il avait dû miauler, mais nous n'avions rien entendu.

Chez le vétérinaire, je n'imaginais aucun miracle, j'étais désespérée, prête à signer pour l'endormir. Mais le vétérinaire en avait vu d'autres : « Laissez-moi faire mon métier. Je vous dirai ce qu'on va pouvoir faire. »

Il riait presque de me voir si anxieuse. « Confiez-le-moi, on va peut-être pouvoir le sauver, malgré vous ! ». Il a conclu que Jazz serait peut-être borgne, voire aveugle, mais que : « ce chat vivra normalement ». Comme beaucoup de personnes sur la planète, et qui profitent de la vie autrement.

Effectivement Jazz est resté borgne. Il lui a fallu un peu de temps pour s'habituer à son handicap et, par deux fois, il est tombé du balcon, n'ayant plus le sens de la perspective. Au début, il marchait de travers, il rasait les murs. Et puis il a pris ses repères. Et retrouvé le bonheur d'aller dehors, en bande, avec Cactus. Il fallait les voir sortir tous les deux !

Cactus était un chat rare, presque protecteur. À deux reprises, il nous a vraiment étonnés. Une première fois, au début de la convalescence de Jazz, Cactus est arrivé sur la terrasse avec une souris encore vivante dans la bouche. Et il a déposé son offrande devant Jazz. On l'a vu redonner goût à la vie à son copain, en lui offrant sa souris.

Rabattre le coin ici.

Rabattre le coin ici.

Un soir, très longtemps après, Cactus nous a à nouveau impressionnés. Nous entendions une bagarre de chats. Nous avons ouvert la porte d'entrée, sommes sortis, et avons vu Jazz rentrer en trombe, poussé par Cactus, qui, une fois sa mission accomplie – mettre Jazz en sécurité –, a bondi sur le rebord de la fenêtre et est immédiatement reparti au combat pour terminer le travail. Il a mis Jazz en sûreté avant de continuer à en découdre, car Cactus, c'était vraiment un bagarreur de première ! Dominant avec les autres, mais protecteur avec les siens, un grand sens des valeurs et de l'amitié.

Quand Cactus est mort, nous avons été étonnés de ne rien voir changer dans l'attitude de Jazz. Rien en surface, il faisait bonne figure. Cela nous a paru bizarre, mais lorsque le cancer l'a frappé, quatre mois après, nous nous sommes dit que tout avait été intériorisé avec élégance, finalement.

Comme lorsqu'il avait fait un épisode de cystite, où nous n'avions vu sa douleur que lorsqu'il avait hurlé de douleur et griffé mon mari, qui tentait de le déplacer. Aux urgences vétérinaires, il avait été stoïque, sauf en croisant les chiens hospitalisés en face de lui, qui ne l'avaient pas du tout mis en confiance.

Le cancer a galopé en un mois entre ses omoplates, et Jazz a rejoint son copain…

Cactus avait beaucoup souffert sur la fin, avec un taux d'urée énorme, mais qui l'avait mis dans un état un peu comateux. Il pouvait rester de longs moments le nez dans sa gamelle d'eau. Il ne se levait que pour aller manger, il n'arrivait même plus à aller dans sa litière, il faisait sous lui, mais je lui changeais chaque jour la serviette sur laquelle il dormait. Je me rends compte aujourd'hui que j'ai trop tardé, mais je n'arrivais pas alors à prendre la décision. J'espère qu'il n'a pas souffert. C'est difficile d'être objectif avec son chat…

Il était très maigre et avait vraiment chuté en quelques mois.

Rabattre le coin ici.

Rabattre le coin ici.

Ce que je vais dire est horrible – et terriblement humain – mais c'est à ce moment-là de la fin de vie de mon chat que j'ai mesuré le déchirement et la difficulté de ma mère à faire ce même geste avec mon père, qui était dans un état désespéré. Alors que nous, ses enfants, avec plus de distance qu'elle, nous considérions qu'il était légitime de prendre cette décision…

Mais il a fallu que ce soit mon propre chat pour que je comprenne ce que pouvait ressentir ma mère…

Les chats vivent moins longtemps que nous, donc toute notre vie durant, ils nous donnent des leçons de vie en nous enseignant à apprivoiser au mieux leur mort en particulier et la mort en général.

Au jardin, ils sont toujours là, ensemble et avec nous.

Inspiré par
MIREILLE ET PASCAL BRUNETTI

MARGOTTE ET KATHY

L'au-delà, à pas de chat

Certains chats d'enfance nous font voyager au-delà du miroir et parfois dans l'indicible qu'on s'empresse d'oublier. Sans savoir que ce sont eux qui, depuis l'au-delà, guident chacun de nos pas.

Jusqu'à ce jour fatidique du 19 mai 1968, il y eut toujours des chats, à la maison ou dans le jardin. Mais Margotte, d'un coup de griffe, d'un seul, me marqua pour la vie entière en me faisant passer de vie à coma pendant trente-six petites heures qui durent paraître une éternité à ma famille.

Moi, j'avoue que le coma m'a beaucoup plu, tout autant que la légende qui l'entoura. Sauf que j'avais mal choisi mon moment pour faire l'école buissonnière et me faire porter pâle puisque la France entière et tous mes camarades de classe étaient, eux aussi, dans un état second, en plein dans les événements de Mai 68.

Que d'un seul coup de griffe un chat vous envoie dans l'au-delà, c'était... surréaliste. Surtout que j'en étais revenue pour raconter... que je ne me souvenais vraiment de rien! Longtemps cet épisode gomma totalement les sept premières années de ma vie. Mais de mon séjour en pédiatrie à l'hôpital de Montargis, je peux raconter jusqu'à la moindre miette. J'ai tout vécu en pleine conscience! La perfusion cassée par une infirmière plus large que la porte de ma chambre, les douleurs des ponctions lombaires, mon crâne rasé par les bons soins d'un neurochirurgien, à Orléans, répondant au doux nom de Phéline, qui se retint de m'opérer et se contenta de me réveiller pour me confier à mon pédiatre, le Dr Cha-on, charmant, en passant par les tours de minivélo que je faisais dans la cour de l'hôpital, pour tuer le temps en attendant qu'on veuille bien me relâcher, tout fut vécu à 150 %.

Rabattre le coin ici.

Rabattre le coin ici.

Sauf qu'au retour à la maison, Margotte avait disparu… donnée, Dieu sait à qui. Et que je ne pus rien faire. Elle m'avait rendue malade, c'était la punition logique, pour elle comme pour moi. Le monde des adultes n'est pas toujours aussi résilient que le cerveau bien-pensant d'un enfant. D'autant que Margotte n'avait pas été la seule suspectée, le vaccin contre le BCG avait aussi été sur la sellette (à juste titre), mais les médecins avaient tranché : la faute revenait à la « bête », pas à la science…

Ce que Margotte m'avait injecté, je l'ignorais, était bien au-delà du simple germe qui, depuis, a changé au moins quatre fois d'identité. On sait que cette maladie des griffes du chat se transmet également par les piqûres de puce (beaucoup moins romantique !).
Non, en ce joli mois de mai 68, Margotte m'avait injecté, sans force, du bout de la griffe, délicatement posé, là sur ma main droite entre le pouce et l'index, le virus des chats qui resta enfoui quelques dizaines d'années.

J'avais vu, peu de temps après mon hospitalisation, *La Belle et la Bête*, puis lu *Le Lion* de Joseph Kessel, pleurant comme l'héroïne, Patricia, toutes les larmes de mon corps. À l'entrée en 6e, je ne crois pas avoir hésité longtemps sur ma future profession entre journaliste et vétérinaire. Mais il me fallut attendre de sortir de l'école vétérinaire de Toulouse l'été 1984, diplôme en poche, pour enfin pouvoir prendre mon premier chat à moi, Lila. J'avais lu les cours de maladies infectieuses, fait des tests dermatologiques et sérologiques, et avais donc la certitude d'être vaccinée à vie contre la maladie des griffes du chat. Bref, j'étais adulte et pouvais à nouveau accueillir un chat – qui se révéla être une chatte ! – à mes côtés.

Que cette vacance des chats, entre le coma et le diplôme, fut longue, et combien l'arrivée de Lila fut douce !

Jusqu'à ce soir d'été 2010, où la mémoire me revint. Mon père était mort quelques mois plus tôt, ouvrant les vannes du torrent de mon enfance.

Rabattre le coin ici.

Rabattre le coin ici.

Tout m'est revenu au soir de ce congrès de médecine féline où mon amie Margie avait évoqué avec beaucoup d'humour la disparition de sa mère et ses relations difficiles avec elle, qui n'aimait pas les chats, doux euphémisme. Elle avait ponctué sa conférence sur l'arthrose de cette anecdote, nous racontant comment elle avait répandu les cendres de sa mère fraîchement décédée au pied d'un des rosiers de son jardin, là où ses chats aiment à se reposer, en paix. La salle avait éclaté de rire à cette vision angélique !

C'est alors que je commençais à rédiger un article sur la conférence de Margie que tout m'est revenu, presque quarante ans après les faits, victime d'un « outing » foudroyant : comment j'avais été témoin, quand j'avais 11 ans, du meurtre de Kathy, la chatte de la maison, par ma mère… La seule faute de Kathy était… la malpropreté urinaire. J'ai mis trente-huit ans à m'en souvenir. Ce n'était pourtant pas un traumatisme si précoce ; ma mère, encore aujourd'hui, ne voit toujours pas quelle faute elle a commise… Faut pas s'étonner que régulièrement j'ai eu des envies de mettre la tête de ma mère dans un sac, de

Rabattre le coin ici.

Rabattre le coin ici.

l'éther dedans, et hop, dans une bassine bleue comme ma baignoire d'enfant dans laquelle elle commit la chose…

Des ouvriers étaient là pour le chauffage, je crois. Elle leur a demandé de l'aider, ils ont refusé. Je me souviens qu'elle ronchonnait parce que ces hommes n'avaient pas le courage…

Moi j'étais là, j'ai regardé… Mon père était absent, il devait être 14 heures, il faisait lourd et chaud. Je me souviens de l'éther, du sac plastique, de la couleur de cette baignoire.

Pourquoi Kathy ne s'est-elle pas débattue ? Comment une mère peut-elle faire des choses pareilles ? Qu'est-ce que j'aurais dû faire ? Le 119, qui n'existait pas à l'époque, le 17, probablement. Appelle-t-on pour dénoncer un adulte qui vous a donné la vie ?

À l'époque il n'y avait pas de portable. J'ai assisté à la scène sans porter assistance à la sacrifiée... Et je me suis tue pendant des années, ayant enfoui la scène dans le recoin le plus profond de ma mémoire.

Et j'étais là, des années après, devant mon ordinateur, en train de partager cette scène avec Margie et mon autre amie Sheilah, non seulement enseignante vétérinaire en anesthésie, acupuncture et bien-être animal, mais surtout heureuse propriétaire de chats et bienveillante avec l'humanité tout entière. Comme disent les psys, il fallait que ça sorte, les vannes étaient ouvertes.

C'est probablement ce jour-là, dans ma chambre d'hôtel d'Amsterdam, alors qu'autour toute la ville vibrait du match qui allait opposer la France aux Pays-Bas, que j'ai pris pleinement conscience de la dette que je portais depuis l'âge de 11 ans envers la gent féline, et de la raison viscérale pour laquelle je voulais soigner leurs troubles du comportement, comme on les appelle. Troubles qui sont, la plupart du temps, des réactions légitimes de protestation à des conditions de vie indignes de leur nature.

Rabattre le coin ici.

Rabattre le coin ici.

Sauf que l'humain a les pleins pouvoirs… et les vétérinaires ont encore parfois la seringue un peu trop leste, même si aujourd'hui, Dieu merci, ils prônent les modifications d'environnement, avec l'aide ou non d'une prescription médicamenteuse pour aider le chat à croire au changement, voire le placement pour que l'animal trouve un foyer plus conforme à ses attentes. Prononcer le divorce entre un chat et sa famille est parfois très salutaire.

ANNE-CLAIRE GAGNON,
vétérinaire pour chats et journaliste
www.lacledeschats.com

ELLINGTON

Professeur de joie de vivre à domicile

On ne prend pas assez le temps de parler avec ses animaux, avec qui on passe pourtant une partie de ses journées et de sa vie! À mieux les entendre et à dialoguer avec eux, on s'ouvre des horizons insoupçonnés.

Rabattre le coin ici.

Rabattre le coin ici.

Moi qui suis professeur de droit, celui des animaux et des hommes, il m'a fallu attendre jusqu'à la fin de l'été dernier pour, d'un seul coup, réaliser à quel point je vivais aux côtés d'un chat fabuleux.

C'est un Himalayen, très gentil, que nous avons prénommé Ellington car il est arrivé dans notre vie de famille après Mozart et Berlioz et à un moment où, avec ma femme, nous avons estimé qu'il était temps de changer de répertoire, d'où son nom. Ellington vient d'atteindre ses 6 ans, l'âge de raisonner joyeusement.

J'étais en train de préparer ma rentrée universitaire en tant que professeur, à la fin du mois d'août, sans angoisse particulière. L'âge étant venu, j'appréhende moins ce moment, mais j'avais quand même une petite émotion, suffisante pour que j'en parle à mon chat Ellington et que je l'interroge sur le sujet que j'allais choisir pour démarrer l'année. Je le questionnais sans vraiment m'attendre à ce qu'il me réponde. Et j'ai été très surpris du discours qu'il m'a tenu, en me fixant bien du plus profond de ses petits yeux bleus : « Tu la ramènes beaucoup, parce que tu es

Rabattre le coin ici.

Rabattre le coin ici.

professeur… Mais sais-tu que moi aussi je suis un professeur et que tu ne t'en rends même pas compte ? »

Et comme je le regardais avec surprise, en lui demandant : « Tu es professeur de quoi, toi ? », il a ajouté, ses yeux bleus toujours bien droit dans les miens : « Moi je suis professeur de bonheur et de joie de vivre. Je vis à tes côtés, je prends soin de toi et des tiens toute la journée et toute la nuit, et toi tu passes sans vraiment me voir. »

Ellington n'est pas le premier chat à qui je parle – j'ai toujours parlé avec mes animaux. Mais c'est le premier à m'avoir fait des réflexions qui ont changé ma façon d'envisager le monde. Depuis cet échange, fondateur, ma vie professionnelle et personnelle en a été transformée car j'essaie maintenant d'enseigner le droit à sa manière, en y mettant de la joie de vivre.

J'ai donc décidé de lui consacrer du temps et de lui parler vraiment, sincèrement, en mon âme et conscience, trente minutes chaque jour. D'autant qu'Ellington est très bavard, il parle beaucoup, mais pas à tout le monde. Donc on se parle, ça lui fait plaisir et moi, ce temps d'échange quotidien me fait du bien. On a finalement une connaissance très superficielle de nos animaux de compagnie. La vie est tellement trépidante qu'on ne prend pas vraiment le temps de parler avec eux et on ne perçoit qu'un centième de ce qu'ils ont à nous dire.

Ellington est un chat très patient, qui ne réclame jamais à manger. Il attend d'être servi très calmement. Mais c'est un grand anxieux qui a besoin au petit matin – et parfois même la nuit – de venir vérifier si nous sommes bien encore vivants. C'est vraiment pour lui une angoisse existentielle. Alors il vient nous voir et repart terminer sa nuit. Si je ronfle, ça le rassure, il sait que je suis toujours là. C'est grâce à lui d'ailleurs que je justifie totalement mon comportement nocturne puisque c'est ma façon à moi de ronronner, pour apaiser ses angoisses, bien sûr!

Ellington a son quart d'heure américain tous les matins, car pour être professeur de joie de vivre, il n'en reste pas moins chat et fantaisiste. Il adore cavaler au grenier, qui est vraiment son territoire privilégié.

Rabattre le coin ici.

Rabattre le coin ici.

Chaton, Ellington était déjà le clown de sa fratrie. C'est d'ailleurs pour cela que nous l'avons choisi. Et que nous lui tolérons ses fantaisies, comme de griffer les dossiers des fauteuils. C'est le seul petit motif de conflit que nous avons. Je le laisse faire et on en parle tous les deux. D'ailleurs ça fait partie de sa nature et c'est une activité nécessaire à l'expression des comportements biologiques de son espèce. D'autant qu'à côté de cela il est d'une propreté irréprochable.

Il n'a pas son pareil pour détecter les points de volupté dans la maison, qui changent au fil des saisons et de ses humeurs. J'apprends beaucoup en le regardant faire.

Au jardin, en bon Himalayen, il a décidé de respecter les oiseaux, et même de les protéger des autres chats du voisinage qu'il fait fuir allègrement, histoire de faire un peu de sport.

Depuis peu il s'est mis à la télévision, qu'il regarde avec mon épouse, probablement pour y trouver un nouveau sujet pour nos conversations. Je sens que quelque chose se prépare et qu'il nous étudie désormais sérieusement. Il se documente sur notre monde.

Rabattre le coin ici.

Rabattre le coin ici.

Enfant, à la campagne, j'ai appris à lire et écrire à l'école de Bêthe, un petit village à l'entrée du plateau de Millevaches. Et je me souviens très bien des 4,5 km qu'il fallait franchir entre la ferme et l'école, et de la hantise que nous avions de croiser sous nos pas une vipère dans les chemins creux que nous empruntions. Un voisin s'était fait mordre et avait été pendant trois semaines entre la vie et la mort.

Le chat de la maison n'avait pas son pareil pour les attraper et nous rapporter fièrement les vipères, de préférence vivantes, pour les lâcher au sous-sol. Un chat déjà respectueux du vivant, en quelque sorte, mais protégeant ses humains de compagnie du venin des bêtes au péril de sa vie. Je soupçonne aussi que cette audacieuse chasse sans mise à mort lui procurait une décharge d'adrénaline à nulle autre pareille.

Les animaux en général ont changé ma vie, mais Ellington, en particulier, m'a fait prendre conscience des limites de mon métier, puisque l'essentiel, c'est lui qui l'enseigne. Et que moi, à son école, je ne suis qu'un débutant, car le droit est une discipline plutôt aride.

Donc maintenant, grâce à Ellington, jour après jour, j'essaie de concilier l'enseignement du droit et celui de la joie de vivre. Mes étudiants peuvent témoigner de la validation de mes acquis de l'expérience d'Ellington, car il y a un avant et un après ce chat qui a changé ma vie !

Inspiré par
JEAN-PIERRE MARGUÉNAUD,
professeur de droit à l'université de Limoges
Spécialiste de droit européen des droits de l'homme,
il se consacre aussi à la défense de la cause animale,
notamment par l'intermédiaire de la *Revue semestrielle de droit animalier* dont il est le directeur.

Rabattre le coin ici.

Rabattre le coin ici.

CHAT NOIR

Mon jardin secret

Il y a des secrets plus lourds que la pierre d'une tombe. Et longtemps il y eut le chat, le FIV et moi.

Enfant, je n'ai pas eu de chat. Ma mère s'y disait allergique. Je m'étais toujours promis, sitôt que je serais majeure, de me rattraper et c'est ce que j'ai fait, l'année de mes 18 ans, à peine envolée du nid familial, en adoptant ma première chatte. Et avec mes chats, j'ai toujours vécu des amours passionnelles, voire fusionnelles. Mais avec Chat Noir, ce fut bien au-delà de la fusion... de la combustion !

Mes proches m'ont longtemps considérée comme une fêlée des chats, en mettant cela sur le fait que je n'avais pas encore d'enfants. Quand je suis tombée enceinte, ils

Rabattre le coin ici.

Rabattre le coin ici.

ont tous pensé que ma « tintaine » des chats allait passer, et qu'une fois maman, le vent allait tourner. Mais rien ne s'est produit, je les aime toujours autant. La naissance de notre fils n'a rien changé et je partage désormais avec lui cette inclination pour les félins. Simplement j'y ai juste mis un peu de modération. Car on a beau dire, on a beau faire, il n'y a que vingt-quatre heures dans une journée, et pour bien aimer son mari, son fils, ses chats, il faut le temps d'aimer. Pour la tendresse, les câlins. Alors aujourd'hui je n'ai plus que deux chats. Mais longtemps j'en ai eu trois.

Chat Noir était un vieux loubard (il aurait pu porter un blouson de cuir !) que nous connaissions pour le voir régulièrement dans notre jardin. Personne ne savait rien de lui, mais je lui donnais à manger au gré de ses visites. Il a erré deux ans dans le quartier avant de décider un jour de s'installer chez nous, en posant ses valises à côté du canapé.

C'était un bagarreur patenté, car c'était un mâle entier, à la musculature dense. Je l'ai vu un jour se mettre en boule avec un autre chat dans un combat à la vie à la mort, et aller, telles des tornades, l'un à l'autre accrochés, griffes et crocs sortis, se fracasser contre le mur de tôle du hangar. Puis se décramponner, passablement sonnés tous deux, et remettre ça, comme dans un dessin animé. Étrangement, il ne s'attaquait jamais à mes deux chats, et la cohabitation au jardin avec eux a toujours été pacifique.

Tout le printemps et l'été 2005 il est resté dans notre jardin, libre et indépendant. Toutefois, chaque fin de journée, il m'attendait, en boule, sous la haie. On ne voyait que ses yeux verts, son regard sublime, fascinant,

Rabattre le coin ici.

Rabattre le coin ici.

hypnotisant, dans la couronne sombre qu'il formait, ainsi lové dans la terre.

Une fois, il s'est même invité sur le canapé – je l'ai d'ailleurs confondu une seconde avec un de mes autres chats, Saphir, noir comme lui.

Je n'oublierai jamais un autre jour où il était entré dans la cuisine escorté par Mimine, qui lui ouvrait le chemin, pour manger. Or Mimine, malgré sa taille de guêpe (2,8 kg toute mouillée), c'était la cheftaine. Elle l'avait donc adopté, adoubé.

J'ai fini par fabriquer une petite niche en carton, placée sous l'avancée de toit à l'abri de la pluie, dans laquelle Chat Noir commençait à se sédentariser.

C'est au début de l'automne qu'il a décidé de s'installer à la maison, et que j'ai pris la décision de le faire stériliser. Je n'avais plus de travail à ce moment-là, j'étais donc sans revenus, et je ne voulais pas rajouter de charge à mon compagnon. J'ai donc mis Chat Noir dans une cage de transport, et je suis partie au dispensaire de la SPA. Là je l'ai laissé pour qu'il soit castré, identifié et vacciné

Rabattre le coin ici.

Rabattre le coin ici.

le lendemain matin à jeun. Il s'est montré étonnamment coopératif durant le trajet en voiture et pendant l'auscultation, comme s'il savait qu'il fallait en passer par là pour accomplir notre projet de vie commune.

Hélas, je me souviendrai toujours de l'appel de la vétérinaire de la SPA le lendemain matin sur mon portable pour me dire que Chat Noir était séropositif au FIV, donc sidéen félin, et elle voulait savoir ce que je décidais. La vie ou la mort ? Quelle question ! J'étais au supermarché en train de faire des courses. Je confirmai à la vétérinaire que je voulais qu'il soit stérilisé et je raccrochai bien vite. Sidérée, accrochée à mon chariot, au milieu de cette folie commerciale et de cette foule de clients, je peinais à comprendre la nouvelle : mon grand amour félin, tout juste commencé, était déjà condamné. J'étais sous le choc, comme si la terre s'était ouverte sous mes pieds. J'étais désemparée, car j'avais tout de suite mesuré d'une part que le temps de vie de Chat Noir était compté, et d'autre part qu'il avait pu éventuellement contaminer Saphir et Mimine, et que tout cela était indicible. Comment en effet en parler à ma belle-mère, avec qui nous partagions le jardin et qui avait une minette elle aussi ? Comment prononcer les mots de FIV, sida, sans que Chat Noir ne soit marqué au fer rouge ?

Alors très vite, j'ai décidé de ne rien dire à mes proches et de porter seule ce secret, du moins dans ma sphère familiale ; car au bout de quelques jours, je me tournai vers ma vétérinaire, qui accepta avec beaucoup d'humanité de faire le point avec moi sur les données de la science, pour mieux comprendre l'évolution de cette maladie, l'espérance de vie, les attentes, et les précautions à prendre par rapport aux autres chats… Grâce à elle, j'ai pu prendre ma décision

Rabattre le coin ici.

Rabattre le coin ici.

en connaissance de cause et je lui en suis toujours restée reconnaissante. Pour moi, le vétérinaire, ce n'est pas qu'un médecin des bêtes, c'est aussi quelqu'un qui vous aide, vous accompagne, surtout dans ces moments de dernière ligne droite que j'avais choisi de vivre avec Chat Noir. Le vagabond qu'il était m'avait fait l'honneur de me choisir, je n'allais pas le jeter dehors parce qu'il était sidéen.

Chat Noir, avec ses deux majuscules, a donc fait son entrée solennelle à la maison et s'est très vite habitué au confort douillet d'un hiver au chaud. Le matin, il venait sur le pas de la porte prendre la température du bout de ses moustaches et retournait bien vite se coucher au chaud, lui, le vagabond repenti !

Il a été propre tout de suite, sauf une fois, où mon mari et moi on s'est sentis tellement nuls... Il était venu sur le lit et miaulait dans tous les sens. On s'est extasiés sur son vocabulaire jusqu'au moment où il s'est mis à faire pipi sur la couette. Et là, au lieu de le disputer, on l'a fait sortir en retenant la leçon. On n'avait pas compris son langage... et Dieu sait qu'il avait du vocabulaire.

Rabattre le coin ici.

Rabattre le coin ici.

J'ai vécu cet hiver-là (je n'étais pas encore maman) dans l'état d'urgence du temps qui court, dans l'impérieuse nécessité de profiter de chaque minute de bonheur. J'allais lui acheter de la viande fraîche tous les matins (et de la meilleure!), sachant que ses jours étaient comptés. Le temps n'était pas à l'équilibre alimentaire! Je voulais qu'il profite pendant qu'il le pouvait encore. Je réalise maintenant que nous avons vécu, lui et moi, un amour dévorant.

Chat Noir était vraiment quelqu'un. Il avait un magnétisme inouï dans le regard, des yeux verts à jaune or, étincelants, rehaussés par le contraste avec sa fourrure noire. Il était le seul de mes trois chats à s'asseoir à table avec nous, sur une chaise, avec l'aplomb d'une personne. Il ne volait pas, on ne lui donnait pas de notre nourriture, simplement il était avec nous, ses yeux magnétiques juste au bord du plateau de la table. Longtemps après sa disparition, je l'ai cherché sur cette chaise, j'ai éprouvé l'absence de son regard...

Rabattre le coin ici.

Le printemps a été très difficile. Chat Noir avait une inflammation des gencives qui lui donnait des douleurs abominables. Ma vétérinaire lui a retiré des dents qui étaient en piteux état − on aurait dit des gravillons sortis de la chaussée. Mais ça n'a pas suffi. Je le voyais qui mangeait moins, dormait plus. Je sentais le vent tourner... Moi seule savais le comment du pourquoi, dans l'inexorable compte à rebours. Mais comme j'avais choisi de ne pas partager ce secret avec mon compagnon, je demeurai muette comme une tombe sur les causes de son affaiblissement. J'avais la double peine, celle du bout du chemin et l'impossibilité de partager.

Le dernier jour de sa vie fut un vendredi d'avril. J'avais heureusement retrouvé du travail (ce qui me permettait de le faire soigner comme il faut) et à 15 heures dans le bureau où je travaillais avec deux autres collègues, j'ai vécu quelque chose d'étrange, comme si une main invisible m'étranglait, m'étouffait, j'étais au bord du malaise. Je me suis précipitée aux toilettes, où une de mes collègues est venue, inquiète pour moi. Je lui ai dit :

« Je sens la Faucheuse passer, je crois que mon Chat Noir est en train de mourir... » De retour à la maison, je l'ai trouvé comateux. C'était bien cela. La fin était proche, l'échéance se présentait, sans appel. J'ai appelé ma vétérinaire qui a compris et qui est venue l'euthanasier chez nous, en lui épargnant la souffrance ultime et le stress d'un déplacement à la clinique.

C'était un week-end où mon conjoint n'était pas là. Le soir même, avec l'aide de ma belle-mère, j'ai inhumé Chat Noir. Il faisait chaud ce jour-là, on a creusé la terre, en plein soleil, dans le coin de notre jardin où reposent les autres chats de la famille. J'ai passé le reste du week-end à laver, nettoyer furieusement ma maison, de tôt le matin à tard dans la nuit, comme si la mort avait sali notre foyer.

J'ai rapidement décidé que Chat Noir méritait une tombe, une vraie. Je ne voulais pas qu'il disparaisse de la surface de la terre comme cela, enseveli comme un simple vagabond. Mon beau félin était quelqu'un,

Rabattre le coin ici.

il lui fallait une sépulture digne de ce nom. J'ai eu la chance que le marbrier de mon cimetière ait déjà fait des tombes pour des animaux et ne soit pas choqué de ma demande. Mais je ne voulais pas une dalle, quelque chose de froid. Je voulais que « du vivant » reprenne le dessus sur la dépouille de mon Chat Noir et j'ai accepté la proposition d'une tombe jardinière, sans fond, où les plantes prendraient vie dans la terre même où reposait mon chat. Le marbrier m'a confectionné un beau cadre en marbre reconstitué que j'ai posé au-dessus de Chat Noir, avec son nom gravé tout en majuscules. Depuis dix ans, les fleurs y prospèrent, saison après saison.

Curieusement, je n'ai qu'une seule photo de Chat Noir, qui n'a jamais quitté ma table de nuit, ni mon fond d'écran. Lui et moi, ça a été une histoire libre, consentie, on a respiré dans la même narine les derniers mois de sa vie. Chat Noir m'avait choisie et je l'ai aimé comme il était. En l'adoptant, j'ai dit oui à sa beauté, à son affection, à son indépendance, à son mystère, mais aussi à son grand âge et à sa maladie mortelle, et je n'ai jamais regretté ma décision. Car avant sa mort, il y a eu des mois de bonheur, précieux, uniques, plus grands, plus importants que ma peine.

Inspiré par
BÉRANGÈRE L'HERMET,
comptable

HÉMIE

Double portion d'amour pour Margot

L'arrivée d'un chat peut vous transformer à tout âge, parfois mieux qu'aucun humain n'en aurait rêvé. Les chats savent trouver la touche magique qui ouvre les cœurs qu'on croyait à jamais fermés.

Lorsque mon beau-père est mort brutalement, début juillet 2010, il nous a semblé impossible de laisser ma belle-mère Margot seule dans sa maison de Vendée. Elle et son mari avaient été plus de soixante ans durant un couple complètement fusionnel. L'un n'allait pas sans l'autre et surtout ils n'étaient autonomes qu'en couple, s'étant partagé les tâches depuis le début de leur union.

La mort de mon beau-père a donc été, au-delà du chagrin, un déchirement total pour Margot, qui avait perdu une partie d'elle-même. Moins d'un mois après le drame, elle emménageait à cinq minutes de chez nous, dans ses meubles, certes, mais dans un lieu de vie nouveau. Le changement de décor était radical, même si l'appartement était très agréable, spacieux, avec un ascenseur pour soulager ses jambes qui lui faisaient souci. Malgré tout le confort du lieu, il y manquait une chose essentielle... il manquait une vie.

Ma belle-mère Margot n'avait jamais eu de chat. Et moi, dans ma clientèle, j'avais une dame qui recueillait, socialisait puis plaçait des chats. Dès qu'elle avait un spécimen rare, elle me faisait signe. Elle m'a appelé peu de temps après pour me proposer une chatte noire, Elisa, d'un volume conséquent, que ma belle-mère, quoique étonnée de mon ordonnance, a acceptée et renommée immédiatement Hémie.
Hémie, avec ses 8 kg d'amour, en imposait. D'autant qu'on avait tout apporté à l'appartement en même temps : la chatte, le bac, la litière, les écuelles, les boîtes, les croquettes, et... le mode d'emploi ! Et pour une première, ce fut une grande réussite.

Rabattre le coin ici.

Rabattre le coin ici.

105

Ma belle-mère avait toujours été, par nature et par éducation, d'une grande réserve et d'une certaine pudeur. Je ne l'ai jamais connue cajolant ses petits-enfants, ne l'ayant jamais fait avec sa fille lorsqu'elle était enfant. Margot n'allait pas spontanément vers les gens ; pourtant elle avait toujours centré sa vie sur son mari et sa famille, mais sans laisser paraître ses émotions. Il ne fallait jamais se plaindre ni montrer qu'on aimait. Pudique on était, réservé on restait. De la retenue, toujours, et en toute chose.

L'arrivée d'Hémie la changea d'une façon que jamais je n'aurais imaginée. Hémie avait trouvé la touche magique car, de peu démonstrative, ma belle-mère se révéla enfin telle qu'elle ne se l'était jamais autorisé : elle se mit à parler à ce nouveau compagnon à quatre pattes. En la nommant d'abord « votre » chatte, puisque c'était par moi qu'Hémie avait déboulé dans sa vie, elle est devenue rapidement « ma » chatte. Elle en était très fière. Hémie est devenue un agent de liaison formidable avec les voisins de palier et avec tous les corps de métier qui défilent chez une personne de son âge : de l'infirmière à la kiné, en passant par le médecin, toutes et

tous la trouvaient belle, et Margot nous le disait, avec une fierté non dissimulée.

Comme tous les chats, Hémie adorait se cacher pour faire la sieste, notamment sous la couette, ce qui donnait lieu à des inquiétudes de ma belle-mère, toujours en train de la chercher. Hémie faisait littéralement marcher ma belle-mère, et c'était du sport d'appartement effectué avec plaisir ! Elle se préoccupait plus de la santé d'Hémie que de la sienne, le carnet de la chatte étant rangé en bonne place. « Vous regarderez si la chatte va bien ? » me demandait-elle régulièrement, pour que je l'ausculte.

Le poids d'Hémie était entre nous une pomme de discorde qui ne souffrait aucune discussion et ma belle-mère était formelle : « Hémie a peur de voir le fond de la gamelle, donc je la remplis bien… »
Elles ont vécu trois années de bonheur ensemble, la chatte accompagnant tous les étés ma belle-mère en Vendée en famille, où, là encore, Hémie était le centre d'attraction du voisinage, un aimant qui attirait tous les regards vers elle et

sa maîtresse, si heureuse d'être en si bonne compagnie. Dieu sait que ma belle-mère a toujours aimé sa fille et tous ses petits et arrière-petits-enfants, mais dans cette affection partagée et exprimée avec Hémie, elle se sentait valorisée. « Elle plaît bien », disait-elle régulièrement d'Hémie.

Une fois, un été, Hémie s'est aventurée sur le velux puis sur le toit de la maison, ce qui a mis ma belle-mère sens dessus dessous. Pour la première fois de notre histoire familiale, nous l'avons vue avoir peur pour quelqu'un. Et ne pas craindre d'extérioriser son attachement pour elle. Hémie a réussi ce miracle de l'amour, qui a désinhibé sa maîtresse. Jusqu'à son dernier souffle, ma belle-mère a osé s'avouer que son cœur battait et que c'était bien.

Aujourd'hui, Hémie coule des jours heureux à la maison et nous rappelle chaque jour le bonheur qu'elle a donné à Margot.

Inspiré par
JEAN-PIERRE KIEFFER,
vétérinaire praticien retraité,
président de l'Œuvre d'assistance aux bêtes d'abattoirs (OABA) depuis 2001

PASTEL ET PINOCCHIO

Le peintre avec un cœur gros comme chat !

Il y a des rencontres qui vous transforment – la femme de votre vie, puis un chat, puis deux et par petites touches, je me suis mis à ne peindre que des chats !

C'est indubitablement le chat que je n'ai jamais peint, jusqu'à ce jour, qui a changé ma vie. Car c'est lui qui m'a initié à un monde que je ne connaissais pas : celui des chats.

Je viens d'une famille de chiens et je suis tombé amoureux de Catherine, qui vient d'une famille de chats.

Rabattre le coin ici.

Rabattre le coin ici.

Donc, quand nous avons emménagé dans notre premier appartement, il n'était pas question d'avoir un chien. Le premier chat que j'ai apporté à ma femme, c'était un chat noir avec une cravate blanche, qui était magnifique. Comme il avait un drôle de nez, nous l'avons appelé Pinocchio. C'est lui qui a été le premier à m'initier à la félinité.

Pour moi, ça a été une découverte totale, un changement de culture, de repères. Et j'ai trouvé merveilleux d'apprendre à parler avec les chats. Venant du « monde du chien », c'était le jour et la nuit !

J'étais au début de ma carrière et je peignais des paysages. Étrangement je ne l'ai pas peint, j'avais trop à apprendre de lui !

Mais il n'a pas vécu assez longtemps. Pendant des vacances à la campagne, chez ma belle-maman, il a traversé une route au mauvais moment…

La première chatte que j'ai peinte, c'est Pépette, la compagne de Pinocchio. Par malheur, le tableau s'est vendu très vite et j'en ai eu une sensation très bizarre : j'aurais dû être heureux, or, j'en ai été très contrarié.

Rabattre le coin ici.

Rabattre le coin ici.

Au point que je me suis immédiatement remis à l'ouvrage, pour en refaire un autre. Et là, ce n'était plus le même tableau. J'ai appris que l'émotion avait changé de couleur, ce n'était pas la même.

C'est une des raisons pour lesquelles je ne peins que mes chats, vrais ou imaginaires, ou ceux avec lesquels j'ai noué une relation car, pour peindre, il faut un regard d'amour. Et j'aurais peur, en peignant le chat d'un tiers, qu'il ne le reconnaisse pas et soit déçu. On se voit dans les yeux du chat qu'on aime et il nous renvoie cet amour unique. Donc je peins mes rêves, mais je m'abstiens de peindre ceux des autres.

Si Pépette a été la première, je n'ai pas compris tout de suite à quel point les chats étaient entrés dans mon œuvre. C'est ma galeriste qui, un jour en venant choisir des toiles à Auvers, s'est exclamée : « Mais, Bernard, il n'y a que des chats ! »

En fait ils étaient entrés à pas de velours dans mes toiles, de façon si naturelle que je ne m'en étais même pas aperçu. J'ai vraiment pris conscience d'eux et assumé ma passion – mon addiction, soyons francs ! – le jour où, en examinant

une aquarelle que j'ai gardée arborant des champignons au premier plan et un petit village qui me semblait pourtant réussi, quelque chose me chiffonnait, une chose que j'étais incapable de formuler. C'est Catherine qui a trouvé : il manquait un chat. Il me manquait donc l'essentiel ! Et c'est ainsi que les chats sont devenus ma seconde nature et ont fait de moi un peintre animalier, pleinement assumé.

Ce que j'aime chez eux, c'est qu'ils sont là, tout simplement. Discrets, respectueux, ce sont des maîtres en philosophie qui nous éduquent chaque jour. À la patience, au respect, ils sont l'école de la vie.

L e chat de ma vie, c'est Pastel, car nous nous sommes choisis mutuellement.

C'était un chaton d'une portée de cinq dont la maman venait d'être renversée sur la route de Sauzon, à Belle-Île. Les chatons étaient sortis du champ et avaient été sauvés par un campeur, qui ne savait qu'en faire. Mes filles se sont immédiatement proposées pour secourir la portée et ont biberonné. C'était la fin de l'été, nous avons mis une petite annonce dans ma galerie, et quatre des cinq

Rabattre le coin ici.

Rabattre le coin ici.

119

chatons ont été placés. Restait un chaton au visage balafré par un coup de pinceau blanc, qui avait effrayé les gens. C'était cette petite chatte dont personne n'avait voulu, et moi, c'était celle que je trouvais la plus originale et aussi la plus jolie.

C'est comme ça que Pastel, bien nommée par mes filles, est rentrée de Belle-Île avec moi et a intégré la famille, aux côtés de Sapho, la chatte de Catherine, Vénus et Cupidon, les chats de mes filles.

Cupidon a été formidable car il a tendu son bedon de chat castré, au point de se laisser téter par Pastel et de faire une véritable montée de lait, le temps qu'elle devienne grande. Il a été une véritable et une extraordinaire maman de substitution !

Sapho et Vénus nous avaient déjà bien habitués. Au lieu de mettre bas dans le carton que nous leur avions préparé, elles avaient mis bas à trois jours d'intervalle sur le canapé, entre Catherine et moi, pour le *Journal de 20 heures*. Et s'étaient ensuite relayées pour allaiter et se partager les joies de la chasse et des promenades au jardin. En se

trompant régulièrement de carton ! Enfin pas vraiment, car nous avions fini par comprendre qu'elles étaient parfaitement conscientes de ce qu'elles faisaient et que c'était à dessein qu'elles allaient dans l'autre carton, à tour de rôle. Nous leur avions préparé un grand carton pour réunir les neuf chatons, qui avaient donc eu deux mamans, aussi maternelles et autonomes que possible.

Il faut le voir et le vivre pour réaliser combien les chats sont capables d'être altruistes.

Avec les chats, on apprend aussi à dépasser ses peurs les plus viscérales, comme celle que j'ai des serpents. Mais tous mes chats adorent, à un moment ou un autre de l'été, me rapporter des orvets que je prends soin, avec un torchon ou une serpillière, de leur enlever pour les remettre en liberté.

Un jour Sapho est rentrée, ligotée par une couleuvre dont elle tenait fièrement le cou, la couleuvre étant bien vivante. On aurait dit Pharaon… mais en moins fascinant. Il fallait être inventif et ne pas céder à la peur, ni à la répulsion que m'inspirait cette pauvre bête. J'ai réussi à la dérouler de

Rabattre le coin ici.

Rabattre le coin ici.

Sapho et à l'enrouler sur un balai, que je me suis empressé d'aller jeter dans le champ au bout du jardin… et j'ai attendu plusieurs heures avant d'aller rechercher le balai délivré de son serpentin vivant.

À l'époque, on pensait qu'il fallait que les chattes aient une portée avant de les faire stériliser (maintenant je sais que c'est faux). Nous avons donc laissé Pastel devenir à son tour maman.

Nous avons préparé un beau carton, avec un de mes pulls, pour Pastel, au cas où elle voudrait en faire usage. Mais au milieu de la nuit elle s'est mise à miauler et est venue me chercher. J'ai eu beau lui présenter le carton, elle ne voulait être que sur moi. Donc je me suis assis, à 5 heures du matin, une serviette et Pastel entre mes genoux, et je pense être un des rares hommes à avoir accouché de cinq chatons, qu'elle a fait entre mes jambes, sous ma protection, dans une confiance absolue.

C'était vraiment une magnifique preuve d'amour.

Autant dire que tous les deux, nous avons été inséparables.

C'était mon ombre, mon double. Pendant dix-neuf ans, elle

Rabattre le coin ici.

Rabattre le coin ici.

ne m'a pas lâché. Elle était à l'atelier avec moi. Pastel faisait partie de ces chattes parleuses, mais jamais pour ne rien dire, toujours pour une bonne cause. C'était elle qui décidait de l'heure de la pause, et donc du quart d'heure de ronron, sur la planche à dessin. Elle ronronnait comme une mobylette et j'ai souvent eu l'impression d'avoir un second cœur.

Jusqu'à son dernier jour, elle a réussi à grimper sur le lit. Mais un soir, elle n'a pas réussi. Alors nous l'avons prise et déposée sur la couette avec nous. Elle était très fatiguée, et au petit matin elle s'était endormie pour l'éternité, à mes pieds…

Il y a une chatte dont j'ai été fou amoureux, Fanfan. C'était un Abyssin, une race qui m'a toujours fait rêver. Par principe, je n'achète pas de chats. Il y a tant de malheureux que je les prends à la SPA ou aux associations de l'École du chat. Mais une éleveuse m'a fait une proposition que je n'ai pas pu refuser : en échange d'une aquarelle, Fanfan a déboulé dans ma vie. Et aussi dans le jardin de la Maison du Docteur Gachet. Car tous mes chats y vont et viennent dans la journée. Lorsque le musée du Docteur Gachet ouvre, d'avril à octobre, ils sont heureux de pouvoir revendiquer leur statut de chats d'artiste, en endossant fièrement les habits de ceux des chats du Docteur Gachet. Car il était avant-gardiste, défenseur de la cause animale et écologiste avant l'heure. Il a possédé jusqu'à douze chats, deux chiens et une chèvre. Auvers-sur-Oise reste aujourd'hui un des paradis des chats. Il n'y a qu'à la saison de chasse que tous mes chats sont enfermés.

Malheureusement, Fanfan la belle, la sublime, a eu une destinée tragique, une trajectoire beaucoup trop brève puisque c'est la seule qui se soit fait écraser, ici à Auvers, bien trop jeune.

Rabattre le coin ici.

Rabattre le coin ici.

Alors pour qu'elle soit toujours avec moi, je me la suis fait tatouer sur mon bras, de sa si jolie couleur lièvre, qui s'est mêlée à celle de ma peau…

Pinocchio a été le premier à m'éduquer, mais tous mes chats m'éduquent et m'apportent une philosophie de vie irremplaçable. En matière de respect, ils sont des maîtres, car pour qu'ils vous respectent il faut d'abord les respecter, eux.
Contrairement aux chiens, que j'aime aussi profondément, qui sont dans la reconnaissance et ont besoin d'être commandés, les chats, eux, vont chercher ailleurs si on ne respecte pas leur indépendance. Donc c'est une école de vie, car vous prenez l'habitude de respecter les autres en respectant vos animaux.

Inspiré par
BERNARD VERCRUYCE,
peintre
www.vercruyce.com et www.valdoise.fr/6387-la-maison-du-docteur-gachet-a-auvers-sur-oise.htm
www.musee-daubigny.com/index.php?page=collections-felin

Rabattre le coin ici.

Rabattre le coin ici.

RUTAN

L' « écaille » qui m'a pavé le cœur d'étoiles

On peut avoir aimé les chevaux, mais il suffit qu'une chatte croise votre chemin pour que tout change radicalement, même si rien n'est simple.

Tous les chats sont spéciaux, c'est pour ça qu'on les aime! Et aussi parce que chaque jour, ils changent notre vie. Si tous les matins j'ai envie d'aller travailler, c'est vraiment grâce à eux.

Mais si je les aime autant, au point d'être devenue une vétérinaire pour chats, c'est vraiment grâce à ma première et seule chatte de ma vie. Je viens d'une famille de chevaux; et j'étais programmée pour devenir vétérinaire de chevaux depuis mon adolescence et même mon enfance.

Durant mes études à l'École vétérinaire, je suis allée passer un week-end dans une ferme chez une amie de promotion qui était une vraie *crazy cat lady*, avec plusieurs chats, notamment une chatte qui dormait sous son canapé. Elle ne sortait de son refuge que pour aller à son bac, sous les feulements des autres chats. Parfois, elle se réfugiait aussi sous la douche, dans un trou de souris !

Je l'ai aimée tout de suite, et sans que je n'aie rien compris ni anticipé, je suis revenue de week-end avec cette chatte écaille de tortue. Mon futur mari, qui était en déplacement en Chine, n'aimait pas vraiment les animaux. Je lui ai d'abord annoncé que c'était le bon moment pour avoir un

Rabattre le coin ici.

Rabattre le coin ici.

animal et commencer par prendre une chatte. Un de ses collègues lui a dit qu'avec une telle déclaration la chatte devait déjà être à la maison... ce qui était vrai ! Mais Dieu merci, il a approuvé ma décision.

Rutan* avait 7 ou 8 mois, et elle avait déjà été placée quatre fois, et quatre fois, elle était revenue à la case départ. Personne ne la voulait... C'était une croisée Norvégienne, écaille de tortue, un peu plus petite que la moyenne. Elle a complètement converti mon mari, qui est rapidement devenu presque plus fervent ami des chats que moi.

Si je suis devenue vétérinaire pour chats, c'est vraiment grâce à elle. Notamment le fait que je propose de nombreuses consultations à domicile, car Rutan en voiture, c'était l'enfer. Elle hurlait comme si elle était sourde et sénile, ou comme un élan en rut, une horreur absolue. Elle m'a fait comprendre de l'intérieur quel cauchemar peut être une visite chez le vétérinaire. Et c'est grâce à elle que j'ai pensé aller chez mes clients et patients plutôt que les contraindre à venir chez moi.

....

* Rutan est un mot suédois signifiant *patchy,* irrégulier. Ce petit mot rappelle les carrés et touches de couleur de son pelage.

Rabattre le coin ici.

Rabattre le coin ici.

Malheureusement, après quatre années de bonheur, mon mari est tombé malade et a dû être conduit aux urgences. Nous avons d'abord pensé à un problème cardiaque mais en fait c'était une allergie aux chats qu'il avait développée et le verdict a été sans appel...

Enfant, il avait peur de tous les animaux, et ses parents n'en ont jamais eu. Rutan l'avait pourtant totalement séduit. Mais comme il a aussi peur des médecins et des piqûres, aucun traitement de désensibilisation n'a été entrepris. Chaque soir, avant de rentrer du travail, je me change de la tête aux pieds pour ne pas rapporter d'allergènes à la maison.

Pour mon plus grand désespoir, car j'ai donc dû me résoudre à placer Rutan. J'ai ressenti le déchirement d'abandonner un être cher, auquel je suis désormais très sensible, toujours grâce à elle, lorsque cela se produit pareillement pour mes clients.

Le bon côté de ne plus pouvoir avoir de chat à la maison, c'est que j'en ai plus à la clinique, et que j'ai développé ma clientèle féline, au point de ne plus faire que « chats » !

Les clients ont rapidement fait le buzz autour de moi, en disant que j'aimais les chats et que les chats m'aimaient. Les chats sont vraiment *smart* – les gens qui ne le pensent pas n'ont jamais rencontré un chat. Les chats lisent en vous comme dans un livre.

Chaque rencontre avec un chat est une fête. C'est pour cela que je m'entends aussi bien avec les chats qui n'aiment pas les vétérinaires : ils ressentent cet amour, qui me vient du manque laissé par Rutan. Grâce à elle, je suis devenue une meilleure vétérinaire.

Rabattre le coin ici.

Rabattre le coin ici.

En fait Rutan n'a pas vraiment quitté la famille, car c'était mon premier « bébé », j'étais sa « maman » ; elle est devenue la chatte de ma mère, à trois heures de route de chez nous. Les six premiers mois – à l'époque il n'y avait pas Skype –, Rutan et moi nous nous sommes parlé tous les jours... Et même maintenant qu'elle a quitté ce monde, on se parle encore !

Elle m'a toujours reconnue, y compris ma voiture, même si je suis devenue sa seconde maman. Quand j'arrivais, je disais bonjour à ma mère et à Rutan, qui arrivait immédiatement. Elle a complètement adopté ma mère, avec qui elle a développé les mêmes rituels qu'avec moi. Par exemple, en venant se percher sur son oreiller et en devinant le moment où elle allait se réveiller pour venir poser sa patte avec une douceur infinie sur sa joue. La douceur d'une patte de chat, c'est une addiction, comme celle de la douceur d'une main de bébé – le simple contact vous donne des frissons... Rutan avait l'art de deviner nos pensées, d'anticiper nos actions mieux que quiconque.

Rabattre le coin ici.

Rabattre le coin ici.

Elle est tombée malade quand elle avait 15 ans. Ma mère, croyant bien faire, ne m'avait pas tout dit pour ne pas m'inquiéter, notamment que Rutan mangeait beaucoup tout en maigrissant. Elle l'a conduite à la clinique et j'ai dû la tranquilliser pour faire les examens. Le bilan sanguin a été globalement bon pour la fonction rénale, mais j'ai diagnostiqué une hyperthyroïdie, maladie maintenant banale et courante chez le chat âgé. Mais, dans le cas de Rutan, la maladie avait déjà vraisemblablement miné son cœur. Deux jours après cette anesthésie, elle s'est laissée glisser et est morte chez ma mère, dans sa maison. Je n'étais pas à ses côtés pour lui dire au revoir. J'aurais dû...

Ma mère, qui a été infirmière, a pu lui prodiguer les derniers soins quand elle l'a vue décliner, ce qui lui a permis de partir calmement, sans douleur ni stress.

Moi j'en ai eu... et j'en ai encore car 15 ans, c'est jeune pour un chat. Même si ma mère a eu cette phrase qui m'est restée en travers de la gorge, en disant : « Elle est vieille. » Peu importait l'âge de Rutan, mon chagrin était entier.

Mais aujourd'hui je sais que ma nouvelle et prochaine clinique sera encore plus ch'amicale que la précédente, grâce à Rutan et à tout ce qu'elle m'a permis de comprendre. C'est à elle que je dois chaque jour le bonheur de soigner les chats.

Inspiré par
ANNA-KARIN ANDERSSON LANDGREN,
vétérinaire pour chats, Suède

Rabattre le coin ici.

Rabattre le coin ici.

JULIE

Extension du cercle familial

La vie de famille connaît souvent des hauts et des bas, et parfois une acmé qui s'est appelée Julie, une chatte parfaite jusqu'à ce qu'elle prenne la clé des champs...

Nous avons eu beaucoup de chats, tous avec leurs qualités, mais Julie les avait vraiment toutes, la chatte idéale : propre, très affectueuse tout en étant très indépendante, fidèle – car elle rentrait à heure fixe – à la fois discrète et présente. L'animal de rêve.

Cela tout en posant ses limites, quand elle en avait assez d'être caressée, sans jamais une griffe sortie, ni une once d'agression.

Rabattre le coin ici.

Rabattre le coin ici.

Elle est arrivée chaton, très drôle naturellement, avec de très jolis yeux. On pouvait la regarder pendant des heures élargir son rayon d'action au cours de son développement, avec une exploration du territoire fascinante à observer. Elle a construit sa personnalité sous nos yeux – un peu comme un enfant, toutes proportions gardées – en grandissant au sein de la famille dans laquelle elle a su trouver sa place, avec cette assurance dont seuls les chats (et les sages !) sont capables.

Même si une distance existe entre l'animal et l'humain, il y a des parallèles qui sont sidérants. Ainsi, elle est devenue la chatte de la famille dont elle a symbolisé l'unité autant qu'elle y a contribué.

Elle était élégante dans chacun de ses déplacements. Elle savait tout faire : chasser les souris, aller se promener toute une journée et revenir, mais aussi faire des bébés – je sais, ce n'est pas automatique ! Mais nous l'avons laissée avoir une première portée, qui s'est bien passée pour elle, même si le placement des chatons est beaucoup moins facile qu'on ne le pense ; nous l'avons donc fait stériliser.

Elle n'avait pas sa pareille pour sauter sur le linteau de la porte et s'offrir le poste d'observation le plus haut perché : un côté performance de gymnaste, un brin provocateur et ostentatoire, histoire de nous épater mais surtout de mater à loisir – une concierge sommeille en chaque chat ! C'est la seule chatte que j'ai eue qui ait jamais fait ça.

Le soir, elle dormait souvent avec les enfants, et l'élu en était très flatté. Tout dépendait d'elle et de son humeur. Au petit matin, en allant les réveiller pour aller au collège, nous retrouvions l'image paradisiaque d'un enfant profondément endormi avec Julie, lovée entre ses genoux, attentive.

Rabattre le coin ici.

Rabattre le coin ici.

Sans qu'on ne s'en aperçoive, elle a étendu avec bienveillance le cercle familial, lui a donné une plénitude qu'elle symbolisait. Elle a vraiment été le quatrième enfant.
Sa présence a changé ma vision de la condition animale.

Elle était belle jusque dans ses bouderies ! Le chat – et elle en particulier – est un animal parfait, c'est un plaisir de le regarder se mouvoir et il nous donne à envisager une certaine image ou forme de la perfection.
C'est avec elle que la notion d'« être sensible » est devenue une évidence pour moi, parce qu'elle en était l'illustration vivante avec tout le respect nécessaire pour cette sensibilité. Nous avions pourtant, à l'époque, d'autres animaux : lapins, chèvres, chiens. Mais avec Julie, nous étions sur la même longueur d'onde. On se comprenait sans parler. C'est d'ailleurs parce que les chats ne parlent pas qu'ils peuvent nous transmettre tant d'autres choses, en élargissant, au-delà des mots, notre territoire de communication.

J'ai toujours aimé les chats et nous en avions déjà eu avant Julie. Mais cette chatte avait quelque chose en

Rabattre le coin ici.

Rabattre le coin ici.

plus qui a fait qu'à ce moment-là de notre vie familiale nous avons été en mesure d'intégrer ses qualités.

Tout en respectant son animalité, le chat nous renvoie un miroir de ce que l'on est, avec une invitation à la transcendance, à rechercher ce pour quoi on est fait, sa destinée, et une certaine forme de perfection.

Un peu comme s'il nous disait : « Toi, tu es peut-être en recherche de quelque chose, mais moi je suis là et je ne suis pas si différent de toi. »

Elle aimait tout, se posait sur les genoux ou à côté de nous, l'air de rien ; elle avait besoin d'un contact discret, être là, à côté, tout simplement. La musique, puisque nous en faisons souvent ensemble, était pour elle un beau moment familial. C'était ce cercle qu'elle aimait, en particulier les enfants qui l'adoraient, et à qui elle a fait prendre conscience du respect dû à l'animal, pour arriver à créer un lien réciproque. Car pour communiquer avec un chat, il faut adapter son comportement, ses gestes, se mettre au diapason. Et le lien entre Julie et les trois enfants a été particulièrement fort. Elle était le sixième membre de la famille.

Elle a disparu un jour sans crier gare, dans sa douzième année. Elle n'est pas revenue. Nous l'avons longtemps cherchée, sans jamais la retrouver.

C'est vrai que la route est trop proche, que les voitures roulent trop vite…

On perd tous des chats un jour et malheureusement, par nature, ils vivent moins longtemps que nous ; ils ponctuent avec émotion des tranches de nos vies.

Les chats sont des histoires d'amour qui finissent mal…

Inspiré par
PATRICK LANDRY,
directeur informatique retraité
https://soundcloud.com/pats-jazz

Rabattre le coin ici.

Rabattre le coin ici.

RAMSÈS

Le troisième enfant de la famille

Dix-sept ans, c'est une sacrée tranche de vie, qui va de l'enfance à l'entrée dans la vie active, avec un coach familial, fidèle et affectueux, prénommé Ramsès.

C'est notre premier chat, celui avec lequel nous avons grandi durant notre enfance et notre adolescence. Nous venions d'emménager à Besançon et le chat que nous avions à Lyon s'était fait écraser par une voiture. Une amie d'école de ma sœur Kaïssa, dont le père possédait une imprimerie, avait une portée promise à l'abattoir si personne ne la prenait. Ils étaient trois petits chatons, candidats à l'adoption, dans son entrepôt.

Avec notre père, nous sommes d'abord allés chercher un chaton pour Kaïssa, puisqu'elle est l'aînée. C'était Prince, un chaton tout noir. Mais du haut de mes 4 ou 5 ans, j'ai pleuré car je trouvais que ce n'était pas juste, moi aussi je voulais un chaton. Donc nous y sommes retournés et j'ai choisi le chaton qui s'appelait Sonic. Je n'avais pas vu que le pauvre avait une patte et les hanches en piteux état. Aussi, sur les conseils de l'imprimeur, nous le lui avons rapporté et avons pris le troisième, celui qui restait et qui se nommait Ramsès.

Rabattre le coin ici.

Rabattre le coin ici.

En rentrant de l'école maternelle, je passais voir Ramsès et allais me mettre dans sa panière, qui était située dans un immense hall, entre le salon et la cuisine.

Prince n'a pas vécu longtemps, à peine deux ans, car lui aussi s'est fait malheureusement écraser. Ramsès est alors devenu le chat de la famille mais surtout des enfants. Il dormait dans nos lits, avec nous. On n'avait qu'à soulever la couette pour qu'il vienne s'y glisser. Il avait ses petites manies d'enfant incorrigible car il adorait lécher la cire dans nos oreilles, ce qui nous chatouillait et nous faisait beaucoup rire. Et il n'hésitait pas à nous réveiller en pleine nuit quand il nous avait sous la langue !
Nous avons vraiment été élevés avec Ramsès, le troisième enfant de la famille.

À notre arrivée à la campagne, en Touraine, il s'est échappé et nous avons tous été effondrés. Comme nous attendions que la maison soit libre, nous vivions dans notre camping-car et mon père se souvient encore maintenant comment il croyait et espérait l'entendre

Rabattre le coin ici.

Rabattre le coin ici.

miauler la nuit… jusqu'au dixième jour où ce ne fut plus un rêve mais bel et bien Ramsès qui avait retrouvé le camping-car et la maison. Il est revenu amaigri, mais les retrouvailles ont été un grand moment de bonheur !

Ramsès était unique. On en faisait ce qu'on voulait, il adorait se mettre sur le dos et se faire caresser le ventre. C'est si doux…

Quand il rentrait du jardin – nous habitions en pleine campagne –, il frappait à la porte et miaulait pour se faire ouvrir. Ensuite il sautait sur un siège, se mettait sur le dos et tendait ses pattes pour qu'on les lui essuie. Et après seulement, lorsqu'il avait les pattes bien propres, il descendait de son siège et rentrait dans la maison. C'est maman qui lui avait appris ce rituel qu'il respectait scrupuleusement.

Ramsès était un intuitif dans l'âme ; il avait l'art de nous comprendre, d'anticiper nos besoins. Il venait nous consoler, où que nous soyons dans la maison. Dès que l'un de nous était triste et pleurait, il venait pour essuyer les larmes, de maman notamment.

l venait souvent manger à table – sur sa chaise – surtout quand mon père n'était pas là! Il adorait les yaourts et les glaces. Le matin, il prenait le petit-déjeuner avec maman. Quand par hasard nous n'étions pas à la maison, c'est avec nos parents que Ramsès dormait, c'est eux qu'il réveillait avec une précision d'horloge suisse, tous les matins, vers 6 heures, en demandant à mon père de lui ouvrir la fenêtre pour qu'il puisse descendre par la glycine et aller vaquer à ses occupations au jardin.

Ramsès a toujours été considéré comme un membre de la famille à part entière. Il se comportait de la même façon avec chacun, étant le confident de tous. Il faisait la fête à papa quand il rentrait de voyage. Tous nos chats d'ailleurs

Rabattre le coin ici.

Rabattre le coin ici.

depuis lui font la fête ! Car il est beaucoup plus calme que nous : il arrive, se pose, et les chats viennent à côté de lui et même sur son ventre, qui leur assure une bonne plate-forme, visiblement très agréable ; il leur fait un câlin, tout doucement, sur la tête, alors que nous sommes restés débordants d'affection et un peu trop envahissants avec nos chats. Surtout moi, qui avais des jeux plus physiques avec Ramsès, mais qu'il adorait par ailleurs.

Nous ne l'avons jamais considéré comme un animal mais comme un petit être, entre le bébé et l'enfant : avec des aptitudes physiques très différentes des nôtres.

Avec lui, nous avons tous appris à être plus humains, et même végétariens (même si lui ne l'était pas !). Les chats ne sont pas cruels comme nous quand ils tuent un animal pour assurer leur repas.

Ramsès nous a surtout montré qu'on pouvait deviner les besoins des autres sans avoir à parler, discrètement, simplement. Grâce à lui, nous sommes devenus plus intuitifs et avons développé notre sensibilité.

Quand on a eu un Ramsès dans sa vie, on sait que l'animal fait partie de la famille.

Nous avons vraiment grandi avec lui, car il a vécu dix-sept ans et a passé trois baccalauréats – il a échoué à un, avec moi, et réussi le dernier en candidat libre !

Nous avions déjà quitté la campagne pour la région parisienne lorsque Ramsès est tombé malade ; nous avions beaucoup déménagé, certainement trop pour lui. C'est à ce moment-là que sa tumeur s'est déclarée. Il est clair et net que la perte de son grand jardin lui a été fatale.

Nous l'avons ramené de chez le vétérinaire lorsque plus rien ne pouvait être fait, car nous ne voulions pas qu'il meure loin de nous. Et quand il s'est senti près de mourir, il a fait l'effort d'aller jusqu'à ma chambre, tout au bout de l'appartement, pour rendre son dernier souffle. Mon

Rabattre le coin ici.

Rabattre le coin ici.

père a pleuré, lui qui n'est pas du genre expressif, et quand il l'évoque, encore aujourd'hui, il parle d'une tragédie dans la famille. À l'époque nous étions tous à Paris et j'ai fait l'aller-retour en Touraine pour aller l'enterrer à la campagne, là où il avait été si heureux.

C'était en quittant la campagne, lorsque nous avons commencé à travailler, que nous avons décidé de prendre un second chat pour que Ramsès ne soit pas seul. Il a donc vécu les quatre dernières années de sa vie avec Isis, qu'il a considérée comme sa fille. C'est lui qui lui a appris la propreté, car elle n'avait pas dû être très attentive aux messages de sa mère !
Ils ont beaucoup joué ensemble et je crois que la présence d'Isis l'a un peu consolé d'avoir perdu son jardin.
Avec Isis, et désormais Osiris, les filiations d'affection continuent puisque Osiris a élevé le petit nouveau, Piou-Piou, comme son fils. Nos chats mâles ont l'esprit de famille et sont très maternels ! Et tous sont désormais habitués à voyager avec nous, mais comme Ramsès, ils réclament un jardin… pas juste un parc public, un balcon ou une gouttière.

Rabattre le coin ici.

Rabattre le coin ici.

Inspiré par
JÉROMIN REBATET,
informaticien,
avec l'aide de Kaïssa Rebatet, modiste,
Latifa et Jean-Paul Rebatet

IZNOGOOD

Le chat qui ne pouvait être confié qu'à un professionnel

La vie ressemble parfois à une chanson de Jacques Brel, qui voulait voir Vierzon et voit Vesoul : on rêve d'un certain chat, et c'est un autre qui vous est (pré)destiné. Changement de vie et de regard garantis !

Nous avons toujours vécu avec un chat à la fois dans ma famille. Donc pour moi, l'amour des chats est naturel, d'autant plus que nous n'avons jamais eu de chien à la maison.

Dès mon arrivée à l'École vétérinaire, en 1re année, j'ai voulu mieux connaître la race qui m'attire le plus, le Maine Coon. En bon élément de la génération Y, j'ai *googlé* « Maine Coon éleveur » et j'ai relevé la première adresse que j'ai trouvée.

J'ai appelé l'éleveuse, et elle m'a proposé de venir visiter son élevage, très familial. C'est une passionnée qui fait de l'élevage, en plus d'un métier ordinaire. Je l'ai toujours perçue comme une *outcross breeder*, très pointue en génétique, ayant donc à cœur de ne pas faire de consanguinité à outrance pour ne pas obtenir ces chats profilés comme une Formule 1, sans tenir compte de la physiologie ni du bien-être le plus élémentaire. Elle a travaillé plus de dix ans pour éradiquer les problèmes de cardiomyopathie, et consultait régulièrement un vétérinaire spécialisé en échocardiographie.

Rabattre le coin ici.

Rabattre le coin ici.

Je suis allé la voir également lors d'expositions félines à Lyon et je m'étais promis de m'acheter, quand je le pourrais matériellement et financièrement, une Maine Coon silver, ma couleur fétiche.

Au cours de mes cinq années de scolarité à l'École vétérinaire, j'ai appris à mieux connaître cette race, les exigences auxquelles devaient répondre les éleveurs à travers le dialogue et la confiance établis avec elle.

Un mois avant ma soutenance de thèse, en 5e année, j'ai vu sur son site qu'elle avait une portée et je l'ai appelée pour réserver la Maine Coon de mes rêves.

Arrivé chez elle, je vois la portée et, à côté des beaux chatons, je vois une « crevette », un chaton de petit format dont elle m'explique rapidement le problème. Le cordon a saigné très longtemps, le chaton n'arrivait pas à téter sa mère qui ne l'a pourtant jamais rejeté ; l'éleveuse a dû l'allaiter au biberon jusqu'à l'âge d'un mois et demi. C'est alors que, après avoir reçu un traitement antibiotique, il a d'un seul coup décidé de reprendre le cours d'une vie normale et a un peu rattrapé son retard de croissance.

C'était un chaton que l'éleveuse ne pouvait pas vendre car, même si aucune anomalie n'avait été décelée, elle ne voulait prendre aucun risque ni pour le futur propriétaire, ni pour le chaton. « Aussi, me dit-elle, je ne peux que le confier à un vétérinaire. »

C'est comme cela que je suis devenu l'heureux maître d'Iznogood, un Maine Coon certes, mais un mâle roux, moi qui venais pour acheter une femelle Silver !

Iznogood m'a rejoint le lendemain de ma soutenance de thèse et a intégré mon nouveau foyer où il a fait la connaissance de Dimka, la chatte européenne que j'avais prise pendant ma scolarité.

Rabattre le coin ici.

Rabattre le coin ici.

La rencontre avec cette professionnelle des chats a vraiment changé la vision que j'avais des éleveurs. Cela m'a conforté également dans mon envie de développer mes connaissances en médecine féline car, avec l'élevage, les problématiques sont bien différentes qu'en médecine de ville. Il y a de véritables défis scientifiques à relever. La présence au quotidien d'Iznogood à la maison m'a surtout permis de comprendre par l'exemple la différence entre un chat de gouttière et un chat de race. Tout ce que j'avais lu dans les livres sur le comportement du Maine Coon est vrai, car je le vois chaque jour.

Cette connaissance pratique m'aide dans les conseils que je donne à mes clients. Tout comme la cohabitation fraternelle qui s'est établie à la maison entre la chienne beauceronne de ma compagne, que nous avons eue petite et Iznogood. Ce sont des choses que je savais, mais que je vis maintenant quand je les vois jouer ensemble. Je sais véritablement de quoi je parle quand je conseille des propriétaires. Je donne régulièrement des nouvelles d'Iznogood à son éleveuse, avec qui je suis resté en contact.

Rabattre le coin ici.

Rabattre le coin ici.

Et je retrouve auprès des praticiens félins internationaux, dans les formations que je suis, la même passion et le même dévouement pour une espèce si singulière dans ses réponses physiologiques, comportementales, thérapeutiques qu'elle aiguise notre curiosité scientifique et stimule nos neurones.

S i j'avais été élevé avec des NAC (nouveaux animaux de compagnie), comme des lapins ou des cochons d'Inde, j'aurais probablement eu une inclination naturelle pour ces espèces, également singulières. Mais j'ai grandi avec un chat et c'est tout naturellement qu'aujourd'hui, compte tenu de l'évolution impressionnante des connaissances en médecine féline de ces récentes années, je crois possible d'en faire un métier.

D'autant que la maîtrise de la pathologie féline demande d'y consacrer du temps ; comme je suis perfectionniste, je trouve trop difficile d'exceller dans deux espèces aussi différentes l'une que l'autre que sont le chien et le chat.

Raison pour laquelle je vais poursuivre un internat en médecine féline en Angleterre et poursuivre ma quête de connaissances pour comprendre et soigner les chats.

Inspiré par
MARC-ANTOINE RAPPART,
vétérinaire

LE CHAT
ET O'NEKO

Le souffle de vie d'un chat

Avec les chats comme avec tous les êtres qu'on aime, c'est souvent à la vie à la mort, et ils ne sont pas les derniers à nous encourager dans nos moments de doute, avec une efficacité et un à-propos remarquables.

Rabattre le coin ici.

Rabattre le coin ici.

J'ai grandi, avec mon frère, dans une famille à chats. Des Européens, principalement.

Jex était un chat très sociable, il aimait le monde, allait au-devant des gens. Au centre d'une réception, pour une crémaillère, avec vingt-cinq personnes autour de lui, il était… comme un poisson dans l'eau ! À se faire papouiller ! C'était un American Wirehair, de la première génération arrivée en France, avec un pedigree et une généalogie impressionnants, mais je l'ai aimé comme les autres chats. À ceci près qu'il a fait médecine avec moi, et qu'il a été très présent pendant mon internat jusqu'à la rédaction de ma thèse.

L'American Wirehair est une race de chat un peu particulière, avec des poils de longueur et de texture différentes, tantôt courts, tantôt frisés. Ces chats sont réputés pour être moins allergisants que les autres. Mais à la caresse, c'est une sensation étrange. Alors son éleveur l'avait affublé d'un nom officiel à rallonge que j'ai oublié, auquel il avait rajouté « Jex » – son nom de code – qui n'était pas très flatteur, donc je l'ai toujours appelé Le Chat.

Il avait une bouille unique et était vraiment très drôle, avec son physique de cartoon.

Quand je suis allé le choisir, c'est lui qui est venu le premier, qui m'a choisi ! Les autres chatons étaient restés à téter, mais lui s'était retourné avec une espèce de curiosité et il était venu vers moi.

J'ai souvenir d'un chaton très joueur et sociable, qui n'avait peur de rien ni de personne. Il a très vite sympathisé avec son voisin de palier, un Jack Russell terrier très nerveux avec lequel, quand les deux portes étaient ouvertes, il faisait des roulés-boulés à la Tex Avery, un vrai dessin

Rabattre le coin ici.

Rabattre le coin ici.

animé. Jamais de morsure, que de la rigolade, mais avec de sacrées empoignades.

Des amis ont acheté un Burmese déjà adulte, vraiment caractériel, qui passait ses jours et ses nuits à miauler d'une voix très rauque, sans raison médicale. Cela devenait invivable pour eux (comme pour leurs voisins !), lugubre, dans un tout petit appartement parisien.
On a cru bien faire, on a pensé qu'avec Le Chat, leur Burmese deviendrait vivable. Donc on l'a accueilli. J'ai toujours regretté d'avoir imposé ce despote à Le Chat, car la vie est rapidement devenue insupportable. Le Burmese s'est mis à chasser Le Chat partout, à le terroriser, à l'agresser. Je ne reconnaissais plus Le Chat, je ne le voyais même plus. Ça n'a pas duré longtemps, quinze jours tout au plus, au bout desquels le Burmese a été adopté par mes parents, exigeant une routine et un calme qui lui ont réussi pendant des années.

Mais c'est à ce moment-là que Le Chat est devenu moins heureux et j'en ai été très triste, en regrettant

Rabattre le coin ici.

Rabattre le coin ici.

cet épisode. Ce sont dans les mois qui ont suivi qu'il a présenté des troubles du transit, puis a développé, alors qu'il avait à peine 7 ans, une maladie rénale chronique. Il a été hospitalisé chez un vétérinaire très compréhensif, qui a évoqué avec beaucoup de tact et de lucidité son espérance de vie très comptée. « Tant que ça a du sens pour lui... » Une parole sur la qualité de vie qui m'a beaucoup aidé, car j'étais très triste de cette annonce.

À l'époque j'avais déjà fait mon stage en soins palliatifs dans le service de Michèle Salamagne et décidé de continuer dans cette voie. Je n'étais donc pas à l'aise avec l'idée d'une euthanasie éventuelle de mon chat. Sans confusion des genres avec mon métier (j'avais déjà commencé à accompagner des patients en fin de vie), mais tout ça se bousculait dans une émotion particulière.

Dans le même temps je travaillais à ma thèse sur la sédation et explorais donc, en médecine humaine, la frontière entre les gestes de soins et l'euthanasie.

Le Chat a été mon premier accompagnement félin, le premier avec qui j'ai vécu, dans sa chair, au quotidien, la dépendance qui s'installe, la fragilité, la perte d'autonomie qui gagne et, au-delà de l'amaigrissement, la cachexie qui l'a lentement miné. Il marchait cahin-caha et avait du mal à se déplacer, donc c'est moi qui allais souvent le chercher. Pour qu'il soit avec moi sur le canapé, ou à l'ordinateur quand je rédigeais ma thèse. J'étais très présent à la maison durant cette période d'écriture, ce qui m'a permis d'être proche de lui.

J'avais besoin de savoir où il était.

C'est à ce moment-là que, grâce à lui et à ce vétérinaire, qui m'avait dressé, en termes de qualité de vie, le tableau de la fin de vie de mon chat, j'ai pris ma grande résolution, sans faire d'amalgame entre le genre humain et les animaux.

Le Chat n'allait pas très bien, mais son état n'était pas douloureux. Il mangeait, profitait de la vie avec moi… La dégradation de sa fonction rénale était inexorable.

Rabattre le coin ici.

Rabattre le coin ici.

N'ayant pas encore vu le cortège des cristaux d'urée en tant que médecin, je le découvrais avec lui, ainsi que l'odeur pestilentielle qu'il entraînait.

Comme en soins palliatifs, on a fait un compromis tous les deux, car il ne devait pas souffrir, mais moi non plus. J'ai donc pris une décision qu'il a validée en acceptant chaque soir que je le douche – en douceur, mais avec du shampoing – que je l'enroule ensuite dans une serviette pour le sécher, et que je le pose à côté de moi. Ça nous a permis de rester ensemble plus longtemps avec beaucoup plus d'agrément. Il a ainsi passé la fin de sa vie en profitant beaucoup de mes genoux, en surveillant avec attention le clavier de l'ordinateur pendant toute la rédaction de ma thèse, que je lui ai dédiée.

Et chaque soir, je le prenais dans mon lit, contre moi, sous la couette. Parce qu'il n'avait plus la force de venir sur le lit de lui-même.

Je savais qu'un jour ou un soir serait le dernier. Mais je n'en étais pas angoissé. Je faisais tout ce que je pouvais pour que la fin de sa vie soit agréable, mais si mon emploi du temps m'obligeait à sortir, je répondais à mes obligations, sans culpabilité.

Je savais déjà combien le moment où le malade rend l'âme est, par essence, imprévisible. J'avais vu des proches rester au chevet d'un malade, pour ne pas être absents, au moment du trépas, et le patient décéder au cours des quelques toutes petites minutes d'absence. Tout comme, à l'inverse, un proche venu passer quelques instants au chevet d'un mourant qui s'éteint dans ses bras.

Donc je savais que ce qui devait arriver arriverait, que je sois là ou non. Et sans que Le Chat soit dans une souffrance inacceptable.

Rabattre le coin ici.

Rabattre le coin ici.

Je n'étais pas dans l'attente, j'étais dans l'accueil, l'essence même des soins palliatifs.

Ce qui allait devenir le dernier soir, je l'ai pris sous mon aile, comme d'habitude, et nous nous sommes endormis tous les deux, lui contre mon cœur, dans le creux de mon bras.

Et au milieu de la nuit, j'ai été réveillé subitement par je ne sais quoi et j'ai su… il était mort. Paisiblement, très simplement, dans mes bras.

Alors je l'ai pris aussi simplement que s'il s'était endormi, je l'ai posé délicatement au pied de mon lit, et j'ai fini ma nuit. Tout était dans l'ordre des choses.

Au matin, j'étais profondément triste, mais content aussi que cela se soit passé naturellement, de façon simple et tranquille.

Le Chat a été incinéré, et ses cendres dispersées depuis le pont des Arts.

Deux ans après, sans que je l'aie cherché – par peur du chat « de remplacement » – des proches ont retrouvé l'élevage, et m'ont offert un nouvel American Wirehair.

Rabattre le coin ici.

Rabattre le coin ici.

Celui-ci est né dans un élevage très familial, a été élevé sous la mère, avec sa portée. Je me souviens que l'éleveuse, d'ailleurs, les prenait avec elle la nuit. Je pense que ça a beaucoup contribué à la sociabilité des chatons, et à la confiance qu'ils avaient dans la vie et les humains. C'était vraiment la maison des chats chez elle, au milieu des champs, avec des chats de récup et puis son élevage, sa passion, avec les American Wirehair. D'ailleurs, il avait fallu montrer patte blanche pour mériter ce chaton.

Ce chat était un trompe-la-mort qui a résisté à une première descente du dernier étage par les gouttières, un jour de fenêtres ouvertes, puis à un emprisonnement prolongé dans une cave, alors qu'il s'était aventuré dans la cage d'escalier en voulant prendre la poudre d'escampette. Il était tellement amaigri que je doutais qu'il puisse survivre. Il s'en remit pourtant parfaitement, à son rythme, en quelques mois.

Un jour, bien des années plus tard, O'Neko a développé une dysphagie. Il vomissait le peu qu'il mangeait. Le vétérinaire qui l'a examiné a été impressionné par la taille de la masse qui lui obstruait le gosier et nous sommes convenus d'un examen sous anesthésie générale quelques jours après pour faire un bilan complet. Le vétérinaire était pessimiste et avait évoqué, déjà avant l'examen sous anesthésie générale, de sombres hypothèses en me parlant des options : soit une tumeur bénigne avec une bonne espérance de vie, soit un cancer, et donc chirurgie, chimiothérapie, avec une possible gastrotomie, pour y poser un tube d'alimentation assistée. Cela me parut surréaliste, car j'ignorais que ces traitements existaient aussi en médecine vétérinaire.

Je connais trop ce type de situation chez les hommes. Qu'est-ce qu'O'Neko aurait pu comprendre à tous ces tuyaux ? Déjà que les humains ont beaucoup de mal à se raisonner de cette contrainte, en échange d'un supposé bénéfice. Tout cela paraissait à la fois inutilement

Rabattre le coin ici.

Rabattre le coin ici.

compliqué et bien disproportionné. Aussi, le matin où je l'ai déposé pour l'examen sous anesthésie générale, quand je lui ai dit au revoir, c'était comme avec certains patients : un au revoir dont on sait qu'il peut être le dernier. On s'y prépare comme à une possibilité, inconsciemment, par automatisme professionnel.

Le vétérinaire m'a rappelé dans la matinée pour me dire combien la tumeur était envahissante. Il m'a dit que mon chat « dormait » encore et il a eu l'élégance de me proposer de ne pas le réveiller.

J'ai pu accepter l'euthanasie de mon chat pour une raison simple : sa qualité de vie ne pouvait plus être garantie. La dysphagie était beaucoup trop douloureuse, poser une sonde à vie l'aurait privé du plaisir de l'autonomie si chère aux chats.

Ces histoires avec mes deux chats ont été pour moi très riches. La seconde car elle m'a appris à distinguer les enjeux humains et animaux autour de la fin de vie. Une réflexion qui m'a été précieuse tant sur un plan personnel que sur un plan professionnel, et qui m'a permis de m'affranchir de toute confusion entre les besoins de mes patients et ceux des animaux condamnés par la maladie. Quant à la première histoire, elle m'a appris toute une mécanique du deuil.

Une anecdote particulière me liait en effet à mon premier chat. Il avait été présent à un moment douloureux de ma vie. Un de ces moments de détresse dont on pense ne jamais pouvoir se sortir. Je me souviens parfaitement de cet instant où, alors que j'étais étendu, tout à ma peine, il est venu se coucher sur moi, là, sur ma poitrine. Ce qu'il ne faisait jamais. J'avais été si surpris de cette intervention que j'ai toujours pensé qu'elle m'avait réanimé…

Rabattre le coin ici.

Rabattre le coin ici.

C'est pour ça que, lorsque Le Chat est arrivé en fin de vie, je l'ai accompagné – pour payer ma « dette ». Dans la vie, on ne peut faire son deuil des choses, des gens, qu'en donnant à ceux qui vous ont donné, dans un équilibre entre l'accueil de ce qui est offert et le don qui sera fait en retour.

Et c'est important de pouvoir dire à ceux qui vous ont aimé combien on les aime, de leur vivant. C'est ce qui permet la cicatrisation après la rupture, quand l'autre part.

Et quand on a cicatrisé, qu'on a guéri, alors on peut reconstruire. Je n'oublierai jamais ce que Le Chat a fait pour moi, simplement.

Je suis triste quand je pense à mes deux chats, mais je ne suis pas souffrant.

Je suis heureusement triste, et vivant.

Accueillant et humain, aussi grâce à eux.

Inspiré par
SYLVAIN POURCHET,
médecin en soins palliatifs

Rabattre le coin ici.

Rabattre le coin ici.

FINOCHJU

Une fraternité de chats

Arraché à son maquis corse lorsqu'il était chaton, Finochju est resté farouchement opposé au transport automobile. Mais pour ce qui est de la tendresse et des transports affectueux, il est toujours partant. Pour autant qu'on lui plaise !

Celui qui est devenu Finochju – fenouil, en corse – m'est d'abord apparu comme deux grands yeux verts dans une robe tigrée, parfait camouflage pour le maquis corse. Le regard d'un vert lumineux, avec un condensé d'énergie au bout des griffes, faisant des étincelles sur un prunier.

Dans le jardin de la cousine de mon mari, il y avait des chatons issus d'un même père, sauvage, et de deux chattes

– la mère et la fille – qui faisaient leur éducation. Elles en étaient à l'étape de la chasse et disparaissaient donc avec leur petite troupe de chatons plusieurs jours.

Tout ce petit monde vivait à l'arrière de la maison, dans une pièce abandonnée où cette cousine leur avait mis des linges et tout un confort douillet. La pièce s'ouvrait directement sur le maquis, le paradis pour apprendre à chasser.

Mais elle craignait que son mari ne mette un terme définitif à la vie de cette portée.

Rabattre le coin ici.

Rabattre le coin ici.

J'avais perdu mon précédent chat, Puce, après qu'il avait veillé un chat atteint du FIV (syndrome d'immuno-déficience). Si on est rationnel, on se dit que c'était le printemps, qu'il a chassé une mouche et qu'il est tombé du balcon. C'était trois jours après le décès de ce chat malade du FIV, auquel il était très attaché, trois jours pendant lesquels il avait tourné en rond, grignoté du bout des dents. S'est-il suicidé ? Il s'est laissé tomber de la coursive du quatrième étage où il avait l'habitude de déambuler depuis toujours…
J'ai mis longtemps à me remettre de sa disparition.

Mais cet été-là, j'étais prête à reprendre un chat, et donc à sauver au moins un chaton dans le maquis. Le bateau partait en fin de journée et, la veille au soir, les mères chattes avaient déplacé la colonie. Je pensais rentrer à Lyon bredouille. Mais au dernier moment, la cousine est apparue, une petite chose hurlante dans un sac.
J'avais acheté une cage de transport dans laquelle nous avons transféré cette boule de poils hurlante qui lançait des étincelles vertes. La cousine lui avait administré,

Rabattre le coin ici.

Rabattre le coin ici.

tant bien que mal, un comprimé supposé apaiser ce tigre déchaîné car il fallait descendre de la montagne par les lacets qui conduisent jusqu'au port. Ce fut ensuite la traversée en bateau puis la remontée en voiture depuis Marseille jusqu'à Lyon. Une grande aventure pour un chaton craintif !

C'était l'été 2003, celui de la canicule. Un chaud et froid : trouver la chaleur oppressante de Lyon après avoir quitté la fraîcheur des montagnes corses.

Cette arrivée tonitruante de Finochju dans ma vie fut surtout éprouvante pour lui car il en a gardé, des années après, une haine féroce pour tout ce qui est automobile : à miauler du premier au dernier mètre, pendant des kilomètres…

Finochju avait 8 mois environ quand le chaton d'une amie lyonnaise, Lila, âgé de 5 mois, s'est retrouvé contraint à l'immobilisation temporaire dans son appartement suite à la fracture d'un membre. Mon amie partait en vacances alors que Lila était convalescent et je lui ai proposé de le garder.

Immédiatement Finochju et Lila se sont entendus comme s'ils avaient toujours vécu ensemble. Au bout de quinze jours, ils étaient inséparables, contents de se retrouver, au point de dormir ensemble. Devant une telle « amitié » féline, nous avons rapidement mis en place un système de « garde alternée ».

À la suite d'aléas de travaux dans mon nouvel appartement, Finochju est allé habiter temporairement chez Lila. Un temporaire qui a duré deux ans, au cours desquels l'arrivée d'Ébène, une troisième chatte, a malheureusement contrarié la fraternité qui s'était mise en place de façon si inattendue entre Finochju et Lila.

Rabattre le coin ici.

Rabattre le coin ici.

L'arrivée de Finochju dans mon appartement enfin viable et conforme au plan a coïncidé avec la rupture de l'amitié qui existait entre la propriétaire de Lila et moi. Du jour au lendemain, Finochju s'est retrouvé sans son ami, qu'il n'a jamais revu depuis.

Tout seul, il est triste. Il miaule très souvent, et de façon déchirante, même s'il semble à l'aise dans son nouvel environnement. Il n'est bien que sur mes genoux ou contre moi, pour autant que j'adopte l'immobilité d'une statue – ce qui n'est pas facile ! Il a besoin d'un contact physique, qu'il avait avec Lila et que ma vie active ne me permet pas de lui offrir autant qu'il le voudrait.

Il vieillit, avec des exigences un peu tyranniques – quand il sort de son bac, il miaule pour demander à ce que la « femme de ménage » passe. Miaulements auxquels je ne peux résister, j'obtempère ! Même son vétérinaire le trouve bavard.

Et mon compagnon irait même jusqu'à lui trouver d'autres noms d'oiseaux… raison pour laquelle, d'un commun accord avec Finochju, ils ne cohabitent pas : « Chacun chez soi, et les chats auront la paix ! »

Rabattre le coin ici.

Rabattre le coin ici.

Je retrouve chez Finochju l'hypertendresse de mon précédent chat. Il y a chez lui ce même mélange de l'irrationnel du chat sauvage et de la tendresse du chat domestiqué. Sous le vert de ses yeux, il y a le bleu de la Méditerranée, des couleurs qui n'ont pas subi l'outrage de l'âge.

Lorsque mon père a été très malade, je faisais régulièrement des allers-retours jusqu'à la maison de mes parents, pour emmener ensuite ma mère rendre visite à mon père à l'hôpital. Et un jour, j'ai décidé d'y emmener Finochju. Je lui avais montré, expliqué comment rentrer du jardin par la fenêtre oscillo-battante de la cuisine, comme à un colocataire, puis le jardin où je l'avais emmené faire un tour. La première fois, cela s'était très bien passé, laseconde fois, au jardin, il avait eu peur et je voulais bricoler quelque chose sur un arbre. Je l'ai installé, croyant qu'il serait en sécurité avec un harnais et une longue laisse. Le voilà qui panique et s'enfuit. Je l'appelle, mais sans succès.

Je suis partie avec ma mère à l'hôpital voir mon père.

Nous étions revenues toutes deux et mangions à la cuisine quand tout à coup j'ai entendu un miaulement qui venait du fond du cœur, un « alléluia » en chat, qu'il a répété deux fois en me sautant dans les bras, les deux pattes sur les épaules, plaqué, torse à torse. « Je t'ai retrouvée ! » Mon émotion était aussi forte que la sienne.

Des moments comme celui-ci, c'est inoubliable. Je n'aurais jamais pensé qu'un chat puisse témoigner une telle émotion.

Il n'avait passé qu'une seule nuit dehors, mais il avait retrouvé son chemin, intégré tout ce que je lui avais montré, et surtout m'a témoigné une joie inouïe.

Rabattre le coin ici.

Rabattre le coin ici.

es chats ont une vraie vie psychique, de relations, de compassion. Mon chat Puce veillait ce chat atteint du FIV des nuits entières, comme un ange gardien. Finochju est-il un ange gardien aujourd'hui ? Je ne sais pas, mais un compagnon félin à part entière, oui.

Inspiré par
DOMINIQUE WEBER-VIVAT,
psychologue clinicienne

Rabattre le coin ici.

Rabattre le coin ici.

JACK

Sept ans de réflexion pour ronronner

Les chatons recueillis dans la rue ont toujours des profils particuliers et Jack n'a pas fait exception à la règle. Le petit chaton qu'il était a su transformer sa vétérinaire de ville en une véritable vétérinaire pour chats, diplômée et heureuse de l'être.

Mon premier chat à moi, c'est Jack. Son nom a été une évidence comme son arrivée dans ma vie. J'étais toute jeune vétérinaire, à Londres, dans un tout petit appartement, et je n'avais pas pensé pouvoir prendre un chat.

Mon assistante a débarqué un matin avec une immense cage et un tout petit chaton à l'intérieur, noir et blanc avec de grands yeux jaunes. Ma mission ? Le sauver ! Il avait été recueilli dans la rue. Il était pelotonné au fond de la cage, absolument terrorisé par la capture dont il avait été victime.

À l'époque, j'étais vétérinaire de ville, pour les petits animaux. La médecine féline me paraissait largement au-delà de mes compétences, car trop de maladies et de difficultés techniques.

Mais je n'avais pas le choix, le chaton m'attendait dans sa grande cage et je l'ai emmené dans mon petit appartement. Il avait tellement peur – il n'avait pas dû voir beaucoup d'humains depuis sa naissance – qu'il s'est caché et me regardait de très loin. Il était surtout hors de question

Rabattre le coin ici.

Rabattre le coin ici.

de mettre la main sur lui. Une terreur et une souffrance absolues!

Il m'a très vite appris, en grandissant, que pour entrer en contact avec lui, je devais l'approcher avec la tête, mes mains dans le dos. Et là, il était partant pour les câlins et venait frotter son front contre le mien. C'est comme ça que je l'ai apprivoisé et... qu'il m'a séduite!

Quand j'ai eu une maison, il a été ravi de l'extension de son domaine de vie, mais il est resté un tigre qui ne se laissait approcher que de la tête.

Et surtout il me rappelait qu'il menait sa vie comme il l'entendait. Je savais qu'il avait une vie cachée. Un jour, j'étais au téléphone dans le salon alors qu'il était au jardin, avec une souris dans la gueule fraîchement attrapée; nos regards se sont croisés et il m'a clairement fait comprendre, d'un mouvement de tête agacé, que c'était sa vie et que j'étais priée de m'occuper de la mienne, sans le surveiller à tout bout de champ!

Je faisais partie de sa vie, certes, mais... il n'y avait pas que moi! Il voulait bien que je l'aime, à condition que ce soit... à distance. Respectueusement!

Rabattre le coin ici.

Rabattre le coin ici.

C'est quand même le premier chat que j'ai aimé à distance, sans pouvoir le prendre dans mes bras, et surtout qui ne ronronnait pas.

Un jour où j'étais malade, au lit, il a sauté sur moi d'un seul coup, a planté ses yeux dans les miens et je me suis demandée ce qui allait suivre. Il m'a fait un câlin sur le front. Et là, le plus beau son que j'aie entendu de ma vie est sorti de sa gorge, il s'est mis à ronronner. Il avait 7 ans. C'était si beau et touchant que j'ai failli en pleurer. Dans la foulée, il est devenu un amour de chat, capable de rester des heures au lit avec moi, à ronronner.

Il m'a vraiment tout appris en matière de comportement des chats. Notamment sur la peur qui le faisait réagir de façon si particulière. Il a fallu que je lui laisse penser que le geste et l'idée venaient de lui pour qu'il ait confiance – comme un homme, finalement!

Il est devenu l'amour de ma vie. C'est lui qui m'a fait tomber amoureuse des chats et ne pas les envisager que du côté médical. Le comportement des chats est derrière chaque consultation, puisque toutes nos questions :

« Mange-t-il ? », « Boit-il ? », « Ronronne-t-il ? », s'y rattachent. Donc il faut d'abord comprendre l'attitude normale du chat pour envisager les comportements anormaux, qui sont les symptômes d'une maladie.

Mais, alors qu'il n'avait que 9 ans, il m'a brisé le cœur. Il n'avait jamais été malade de sa vie. J'étais dans mon jardin en train de préparer l'examen de fin de diplôme de médecine féline et j'ai trouvé que son poil, d'ordinaire d'un brillant digne des plus beaux smokings, n'avait plus son éclat habituel, il était terne. C'était subtil, peu de chose, car il allait parfaitement bien. Même mon mari ne voyait pas de changement.

Rabattre le coin ici.

Rabattre le coin ici.

J'ai palpé Jack de partout et découvert une masse suspecte au niveau de l'estomac. Je ne travaillais pas ce jour-là, mais je me suis précipitée à la clinique pour faire une échographie abdominale. Elle a montré la présence de masses compatibles avec un lymphome intestinal très agressif, avec des métastases qui avaient déjà disséminé partout. J'ai fait le prélèvement et ai porté moi-même la biopsie au laboratoire, qui a confirmé le diagnostic de lymphome.

Je m'étais toujours sentie coupable au cours de cette année où j'étais allée en Australie pour suivre l'enseignement de médecine féline et passer le diplôme. Car même autonome et indépendant − « je suis Jack et je vais tout seul » −, je savais que le jour où il aurait une maladie chronique comme un diabète, une hyperthyroïdie ou un cancer, il serait quasiment impossible à traiter puisqu'il était intouchable.

Et malheureusement, c'est ce qui s'est produit. Il a été réfractaire à toute chimiothérapie, l'intraveineuse étant insupportable pour lui... Avec l'aide de mes collègues

Rabattre le coin ici.

Rabattre le coin ici.

australiennes, j'ai tenté un protocole sous forme de comprimés, mais trois semaines après j'ai dû l'euthanasier.

Tous les soirs je lui ai coupé un peu de poulet pour qu'il puisse manger – le lymphome digestif n'était pas obstructif : il avait conservé un transit normal lui permettant de garder son appétit. Mais il a perdu tous ses muscles et, un soir, il est venu, a regardé son assiette et est reparti.

C'est ce soir-là que je l'ai endormi et qu'il m'a brisé le cœur.

l m'a tant appris. Notamment qu'il y a des évidences auxquelles il faut se rendre en tombant amoureux d'un chat, quitte à l'aimer à distance.

On ne fait pas ce qu'on veut avec un chat. D'ailleurs, ce ne sont pas les chats les plus faciles qu'on aime le plus.

La compassion que j'ai ressentie en l'euthanasiant est celle que j'ai désormais à chaque fois que j'euthanasie un chat. Donc aujourd'hui, grâce à lui, je suis une meilleure vétérinaire pour chats. Il a été un merveilleux compagnon... avec un regard incroyable – on ne pouvait que se sentir concerné quand il plantait ses yeux dans les vôtres !

Rabattre le coin ici.

Rabattre le coin ici.

Mon nouveau chat, Stanley, est charmant, le genre qu'on peut attraper comme on veut. Mais il ne réfléchit pas, la vie est facile avec lui. Alors que Jack, on savait que son cerveau carburait à cent à l'heure. Il était si complexe, si différent de tous les chats que j'ai rencontrés. C'est pour ça que je l'ai appelé Jack, Jack-a-bee, Jack-jack, et que son nom est inscrit dans mon cœur au firmament.

Inspiré par
NIKKI GAUT,
vétérinaire pour chats à Kew Gardens, Angleterre

Rabattre le coin ici.

Rabattre le coin ici.

FJORD

Au bonheur des chatons

Devenir éleveuse, c'est souvent beaucoup de travail, de patience et surtout de belles rencontres avec d'autres passionnés, et des chats qui ont envie de faire des chatons aussi sympathiques qu'eux.

Sans conteste, celui qui a modifié ma vie, c'est Fjord Fenomen de la Pendjari, mon premier Skogkatt, à l'origine de ma lignée de chats des forêts norvégiennes.

Cette race n'était pas mon premier choix. Je voulais faire de l'élevage de chats car, enfant, j'avais trop été privée de chatons. Mes parents disaient pourtant aimer les animaux, mais ma mère préférait clairement ses meubles et ses rideaux. Donc, du plus loin que je me souvienne, j'ai toujours voulu des chats. Mon premier, Blouson noir, n'avait pas

Rabattre le coin ici.

Rabattre le coin ici.

un heureux caractère, très distant, pas du tout ce que je recherchais, mais je l'ai aimé ainsi. Comme tous les chatons que je rencontrais en vacances.

Adulte, j'ai eu beaucoup de chats de gouttière ; j'ai beaucoup pleuré car les soins et connaissances vétérinaires n'étaient pas ce qu'ils sont aujourd'hui.
Et, lorsqu'à la faveur de changements dans ma vie, j'ai décidé de devenir éleveuse, par pure passion, j'avais repéré les Bleus russes sur les journaux spécialisés. J'ai rencontré une éleveuse de cette race qui m'a fait découvrir son élevage et qui, à la fin de notre échange, m'a dit : « Je vais vous montrer une race tout à fait différente. » Elle est revenue avec un Skogkatt dans les bras, et Jean-Pierre, mon mari, qui m'accompagnait, a dit : « C'est celui-là que je veux. »

À l'époque, il ne devait y avoir pas plus de cinq chats des forêts norvégiennes en France. Autant dire que pour trouver mon premier mâle, Fjord, j'ai d'abord voyagé jusqu'en Belgique.

Je n'ai jamais fait de l'élevage pour faire des expositions et des concours de beauté, même si Fjord a reçu plus de 40 Best in show. J'ai vraiment fait de l'élevage pour le bonheur d'avoir des chatons.

Rabattre le coin ici.

Rabattre le coin ici.

Fjord a été un chat exceptionnel au sens où physiquement il était loin d'être parfait – aujourd'hui il n'aurait plus le palmarès qui fut le sien, les standards et critères de beauté ayant évolué. Mais il avait un charisme qui attirait la lumière, les regards et la sympathie.

C'était une vraie bête de scène, à l'aise en exposition devant huit cents personnes, dans la foule et le bruit.

En exposition, au moment du jugement, les chats sont contraints à l'immobilité – une vraie gageure pour certains – contrairement aux chevaux ou aux chiens, aux danseurs et aux mannequins ; ni le juge ni le public n'ont le loisir de voir leur allure et leur démarche. Le chat est vraiment entre les mains, au sens propre et figuré, du juge, pendant toute la durée de son examen, qui conditionne les distinctions et récompenses qu'il peut recevoir. Fjord, porté à bout de bras, a toujours eu une allure et une prestance exceptionnelles, qui lui faisaient rafler les prix.

En parallèle de « sa carrière », je me suis mise très rapidement à la recherche de chattes qui n'aient pas de liens familiaux avec lui, pour démarrer mon élevage. J'ai, bien sûr, dû voyager en Scandinavie, mais il a aussi fallu que je montre patte blanche.

Rabattre le coin ici.

Rabattre le coin ici.

Car on ne devient pas éleveur du jour au lendemain. Il faut se faire accepter par ses pairs, les comprendre et faire ses preuves. J'ai noué de solides amitiés en Norvège avec ces professionnels qui m'ont accueillie chez eux et aidée.

Fjord avait une qualité particulière, c'était sa grande familiarité avec l'homme, qu'il a d'ailleurs transmise à sa descendance.
Il allait dans les bras avec un plaisir évident ; il était toujours de bonne humeur, jamais chagrin.
Après sa retraite et sa stérilisation, il est resté avec nous à la maison et s'est éteint relativement jeune, à 13 ans. Son fils est resté à nos côtés dix-neuf ans.

Et quand je regarde mes adultes et leurs chatons aujourd'hui, je pense toujours à celui qui fut la racine de ce bel arbre généalogique de la Cachouteba, Fjord.

Inspiré par
GENEVIÈVE COURNUD,
éleveuse retraitée

Rabattre le coin ici.

Rabattre le coin ici.

GRISBI

On ne choisit pas un chat noir par hasard...

La mort d'un chat est souvent le premier deuil qu'un enfant affronte. En dépit des autres compagnons félins qui suivront et des accidents que la vie met sur notre chemin, sa perte reste extrêmement vivace et son souvenir terriblement vivant, au-delà des années... surtout lorsque la couleur de son pelage a fait le contrepoint d'une petite fille rousse. « Parce que c'était lui, parce que c'était moi ! »

C'était pendant l'été 1961, j'allais avoir 7 ans, l'âge de raison... ! J'habitais au cœur de la campagne normande.

Nous avions une chatte nommée Youpi (comme le petit chien Cocker, héros de mes livres d'enfants) qui avait eu deux chatons : un tout blanc, Bambino, et un tout noir, Grisbi. J'avais choisi le noir et ma sœur, de cinq ans mon aînée, le blanc. La dualité, déjà…

C'était la première fois que j'avais un chat « à moi » dont j'étais responsable. Je l'adorais. C'était une poupée vivante,

Rabattre le coin ici.

Rabattre le coin ici.

je le promenais dans un landau, il couchait sur mon lit. Dès que je rentrais de l'école, je me précipitais pour le prendre dans mes bras. Il se laissait faire « patrouiller », disait ma mère, elle-même peu encline aux démonstrations affectueuses.

C'était mon petit compagnon. Un jour, il était même venu me chercher à l'école. Notre maison familiale était toute proche d'une route assez fréquentée. Les vacances d'été venaient de commencer et j'avais fini de déjeuner, ne pensant qu'à aller jouer dehors. La nature, avec ses grands espaces de jeux pleins de promesses de bonheur, était au seuil de la maison. Grisbi m'attendait derrière la porte d'entrée, comme d'habitude. À peine ai-je ouvert cette porte qu'il a bondi en avant et a traversé comme une flèche l'allée qui menait directement à la route. J'ai entendu une voiture freiner, le choc, mat… Grisbi venait de passer sous les roues, tué sur le coup, écrasé. J'avais tout vu et entendu. Mes parents m'ont vite emmenée et je ne me souviens plus bien des moments qui ont suivi.

Mais des années après, je me souviens du vide, de l'absence, du chagrin, de l'irruption du deuil dans ma vie de petite fille. Je suis restée prostrée plusieurs heures sans parler. Mon père a enterré mon chat dans le jardin, parmi les fleurs. J'ai construit une petite croix en bois et

Rabattre le coin ici.

Rabattre le coin ici.

j'ai confectionné une pierre tombale avec plein de petits cailloux.

Régulièrement et pendant très longtemps, j'ai fleuri sa tombe. En rentrant de l'école, je me précipitais pour me recueillir, je faisais des prières, je mettais des voiles sur ma tête, je m'habillais de noir…

La poupée noire que j'avais choisie ensuite a eu beaucoup de mal à me consoler de la perte de Grisbi, tout en s'inscrivant tranquillement dans la singularité qui m'était chère.

Mes parents ont fini par s'inquiéter et l'histoire m'a cent fois été racontée. Mais on a laissé le temps faire son œuvre – l'époque n'était pas aux consultations chez le psy.

La mère de Grisbi, Youpi, est morte quelques mois plus tard. Des imbéciles avaient trouvé drôle de renverser sur cette chatte d'un blanc immaculé un pot de peinture noire. Elle a essayé de se nettoyer, s'est léchée et elle s'est empoisonnée, agonisant dans une souffrance muette et nous laissant impuissants.

L'expérience de la mort s'est confirmée, meurtrissant ma vie.

L'expérience de la bêtise humaine, aussi, et de sa méchanceté gratuite.

Bambino, le « survivant », a vécu plusieurs années d'une belle vie de chat de compagnie, libre… Je me suis attachée un peu à lui, mais c'était le chat de ma sœur et il n'a jamais pu remplacer Grisbi dans mon cœur… Rabattre le coin ici.

Rabattre le coin ici.

Depuis il y a eu beaucoup d'autres chats. Je ne crois pas avoir jamais vécu un seul long moment sans un chat à mes côtés – dans mes chagrins, mes joies et mes épreuves, ils ont toujours été là, témoins fidèles et discrets des étapes de ma vie. Après Bambino, nous eûmes Pussy, le premier chat que mes parents firent castrer et qui n'avait pas le droit de sortir, sauf… en laisse ! Il vécut douze ans d'une vie confortable mais étroitement surveillée, son attitude évoquant d'ailleurs plus celui d'un chien que d'un félin.

Mariée et mère de famille, ce furent Topaze, puis Watson et aujourd'hui Fidji (bientôt 19 ans), tous interdits de sortie par peur des dangers menaçant leur vie, dès le seuil de la porte franchi. « Attention au chat ! » est d'ailleurs la phrase culte de la famille, comprise immédiatement par tous, à la fois gentiment moquée et prise très au sérieux !

Grisbi, mon petit chat noir parti trop vite, m'a appris la violence du deuil, mais aussi l'importance de protéger et de respecter la vie animale. Ce jour-là, j'ai dû passer un genre de contrat : celui d'avoir toujours un chat dans ma vie, que je protégerais des dangers, envers et contre tout. Peut-être parce qu'il était un petit chat noir et que j'étais une petite fille rousse.

Inspiré par
CATHERINE D.,
éditrice

Rabattre le coin ici.

Rabattre le coin ici.

BONNIE

La chatte qui voulait faire sortir sa maîtresse du cadre

Il faut parfois des déclics, des étincelles... pour découvrir que tout ne vous a pas été dit, et qu'il y a des thérapies alternatives. Bonnie a été cette chatte hors cadre, qui a ouvert l'esprit de sa maîtresse vétérinaire à d'autres médecines.

Bonnie a été le premier chat de ma vie d'adulte. Je venais de sortir de l'École vétérinaire et Bonnie avait été oubliée à la clinique où je travaillais. Elle nous avait été apportée pour être stérilisée mais personne n'était venu la rechercher. Cela faisait deux mois qu'elle était pensionnaire malgré elle et mon patron, qui n'avait pas l'âme philanthrope, voulait la confier à la SPA. Jeune débutante dans la vie professionnelle, pas vraiment prête à m'engager, je ne trouvais pas cela cool pour cette jolie tigrée grise de se retrouver à la SPA.

Je lui ai donc proposé un marché : « Je te prends à l'essai et si nos modes de vie sont compatibles, tu pourras rester à la maison. »

Rabattre le coin ici.

Rabattre le coin ici.

Avait-elle compris le deal ? Je ne pourrais l'affirmer. En tout cas, elle a respecté mon tempérament de l'époque et a toujours été indépendante, le genre bonne copine qui s'adapte à toutes les situations. Pendant la journée, quand je travaillais à la clinique, elle prenait ses quartiers dans la rue piétonne du centre historique de Rouen où nous habitions. Elle avait su se faire accepter dans la boutique de porcelaine située au rez-de-chaussée de mon appartement. La commerçante n'était pas très chat mais, là aussi, son charme discret avait opéré et elle l'accueillait quand elle cherchait un peu de compagnie humaine.

Bonnie, je l'avais baptisée ainsi en clin d'œil à Gainsbourg, m'a suivie dans mes différents remplacements, en vacances, en week-end. J'ai gardé d'elle une belle photo dans un gîte près de Granville. Je pouvais la laisser libre, elle revenait toujours au bon moment pour le retour.
Pas agressive pour deux sous avec les gens et très adaptable, la seule chose qui lui posait problème était les soins médicaux, donc tout ce qui était inhérent à mon métier !

Les premières années, je n'y prêtais pas attention car elle était rarement malade. Mais en y réfléchissant, ses épisodes de méforme ne rentraient déjà pas dans le cadre habituel de la médecine que j'avais apprise et que je pratiquais avec de plus en plus d'aisance. Avec Bonnie, rien ne se présentait comme dans les livres !

Rabattre le coin ici.

Rabattre le coin ici.

Cinq ans après que je l'ai adoptée, Bonnie a montré tous les signes d'une insuffisance rénale aiguë fulgurante. Traitée par perfusion comme nous le faisions toujours dans de pareilles circonstances, je me suis rapidement aperçue que le cas de Bonnie ne prenait pas une tournure habituelle. Si ses analyses montraient une nette amélioration au niveau biologique, son état ne faisait qu'empirer et elle refusait les soins. Plus j'en faisais pour tenter de la guérir, moins elle se laissait faire. J'ai fini par lui poser une sonde naso-œsophagienne pour l'alimenter artificiellement et la soutenir, ce qui eut pour effet de la déprimer plus qu'autre chose.

J'ai alors décidé de la ramener à la maison, pensant que cela se passerait mieux, mais elle se tenait prostrée au fond de mon armoire, ce qui m'attristait encore plus. Je ne savais plus que faire, partagée entre l'envie du vétérinaire de continuer les soins et les scrupules de la maîtresse d'agir contre la volonté de son chat. Bonnie ne s'alimentait plus depuis plusieurs jours. J'ai fait comme n'importe quel propriétaire qui se respecte : j'ai acheté toutes les marques possibles et imaginables d'aliments, mais aucune ne la tentait.

Je me souviens parfaitement du moment où j'ai décroché mon téléphone pour appeler une amie vétérinaire qui pratiquait déjà la médecine alternative. Je lui ai demandé de me donner le courage « d'endormir » Bonnie : je ne voyais plus d'autre issue tant elle dépérissait. C'est là qu'elle m'a donné les coordonnées de l'un de nos confrères,

Rabattre le coin ici.

Rabattre le coin ici.

vétérinaire acupuncteur, en me conseillant de l'appeler au plus vite.

Je lui ai amené ma chère petite Bonnie sans trop y croire, mais bien décidée à tout tenter pour la sauver. Le jour même, elle eut sa première séance d'acupuncture et d'autres soins que je trouvais assez curieux, mais non invasifs et donc bien acceptés par la minette.

Dès son retour à la maison, elle est allée droit à ses croquettes (les habituelles, pas la panoplie des nouvelles que j'avais achetées) et c'est là que j'ai vu qu'elle était repartie dans le bon sens. Elle a alors commencé à remonter la pente sans aucun traitement supplémentaire et est redevenue la Bonnie douce et simple à vivre que j'avais connue. Un beau cadeau pour le jour de mes 30 ans!

Trois ans plus tard, elle a récidivé. C'était au moment où j'envisageais de déménager pour aller m'installer chez un ami qui n'aimait pas les animaux! Je plaide le droit à l'erreur de casting. Toujours est-il que Bonnie n'a pas posé ses bagages dans ce nouvel endroit, mon associée l'a endormie le matin même du déménagement. Les bons soins du vétérinaire acupuncteur, consulté dès les premiers signes d'alerte, n'avaient pas eu d'effet cette fois-ci, les lésions rénales étant trop avancées. Le jour où j'ai quitté cet ami, assez peu de temps après, j'ai présenté mes excuses posthumes à Bonnie…

Rabattre le coin ici.

Rabattre le coin ici.

Avec ce beau répit de trois années à mes côtés, rendu possible par des pratiques dont j'ignorais tout, Bonnie avait indirectement allumé l'étincelle en moi. J'ai commencé, sans rien changer à ma pratique personnelle, à explorer les champs d'application de l'acupuncture, de l'homéopathie, de l'anthroposophie, de la phytothérapie… Je me suis rendu compte qu'en médecine humaine comme en médecine vétérinaire, ces approches étaient non pas antagonistes mais complémentaires à la médecine officielle et qu'elles étaient pratiquées par de nombreux praticiens talentueux et respectables.

Il m'a fallu plus de dix ans pour commencer à pratiquer moi-même certaines de ces voies alternatives. J'ai commencé par la phytothérapie. Puis je me suis formée à l'ostéopathie, qui m'a été enseignée dans ses différentes approches (structurelle, tissulaire, viscérale et énergétique). Cette médecine manuelle, exigeante car il faut la pratiquer longtemps avant de la maîtriser, est source d'une grande satisfaction et s'adapte parfaitement à l'animal. Elle nous réconcilie avec notre ressenti souvent oublié mais toujours intact.

Mon cheminement a été lent car c'est ma nature. J'ai pris le temps de comprendre, de faire le tri dans tous ces nouveaux outils thérapeutiques. Bien entendu, je suis également passée par des phases de résistance à des concepts auxquels je n'avais pas été initiée.

Rabattre le coin ici.

Rabattre le coin ici.

Bonnie m'avait mis la puce à l'oreille : c'est avec bonheur que j'aborde aujourd'hui toutes ces disciplines et je m'y sens comme un poisson dans l'eau ! La prochaine étape sera la pratique de la communication intuitive avec l'animal. Grâce à Bonnie je découvrirai peut-être d'autres secrets…

Inspiré par
LAURENCE DUBOC,
vétérinaire intégrative

Rabattre le coin ici.

Rabattre le coin ici.

MOUNETTE

Celui qui m'a fait tenir une plume qui n'a plus quitté mes doigts

Avoir un chat qui vous attend à la sortie de l'école, quand on a 7 ans, c'est le bonheur absolu. Jusqu'au jour où il fait l'école buissonnière et fait de vous une grande personne.

C'est grâce à Mounette que, toute petite, j'ai commencé à écrire de longues lettres à ma grand-mère Manou. Je n'écrivais que pour « chat » et ma grand-mère m'a plus d'une fois demandé si je ne pouvais pas parler un peu de mes frères et sœurs. D'autant que je suis l'aînée de onze enfants, donc j'avais matière à raconter.

Mais non, à 7 ans et à ce moment-là, ça ne m'intéressait pas de donner des nouvelles de ma famille, car ma grande passion, mon histoire s'écrivait avec Mounette, et c'était toute ma vie d'enfant, un vrai roman, qui m'a construite et formatée à jamais.

D'ailleurs, au lieu de commencer les lettres par « Ma chère Manou », j'écrivais « Mounette », virgule, et j'en faisais trois pages !

Rabattre le coin ici.

Rabattre le coin ici.

Mounette m'inspirait et je lisais aussi beaucoup d'histoires d'animaux, surtout de chats, le dimanche, comme *Le Chat du capitaine*, qui me faisait pleurer à chaudes larmes.

En fait je n'ai jamais vécu sans chat, car du plus loin que je me souvienne, il y a toujours eu un chat sur le rebord de la fenêtre chez mes parents. Nous habitions à la campagne. Mais quand Mounette est arrivée, il s'est vraiment passé quelque chose. Même mes parents étaient totalement fascinés par la façon dont Mounette et moi nous étions trouvées. Car elle connaissait l'heure à laquelle je revenais de l'école, et chaque midi, chaque soir, venait m'attendre à la barrière blanche au bout de la grande allée du jardin – c'était sa ligne de démarcation, sous un grand arbre, entre le chemin de l'école et la maison de mes parents. Et dès qu'elle me voyait arriver c'était la fête, elle se dressait sur ses pattes arrière, me tendant ses pattes avant, en miaulant très fort.

Toutes les semaines, je racontais les aventures de Mounette à Manou, car Mounette, c'était vraiment quelqu'un. Comme ma grand-mère d'ailleurs (les chats ne font pas des chiens!), qui aimait tellement sa chatte Ciboulette qu'elle l'avait emmenée se faire stériliser chez son vétérinaire de Grenoble, une première pour l'époque. C'était dans les années 1960 ou 1965, et cette pratique était rare. Emmener un chat à la clinique, vous pensez!

Rabattre le coin ici.

Rabattre le coin ici.

Cela nous avait étonnés, mes parents et moi, car notre vétérinaire, en Normandie, à l'époque, ne soignait que les vaches et les chevaux. Et quand tout espoir était perdu, il disait : « La bouillie est cuite. » C'était son expression.

Quand Mounette s'est cassé une patte, mes parents ont voulu l'emmener chez le vétérinaire, mais j'ai protesté, du haut de mes 7 ans : « Non, non, pas la bouillie est cuite. »

Alors je l'ai retenue, serrée dans mes bras, ils m'ont écoutée, surpris de ce que j'étais en train d'entreprendre. J'ai installé Mounette dans un cageot, à côté du radiateur, avec des pulls, et je m'en suis occupée tous les jours, la caressant, lui donnant à manger, à boire, jusqu'à ce qu'elle soit complètement guérie, une semaine.

Même mes parents étaient fascinés par elle – enfin par lui, car comme souvent, nous l'avions prise pour une chatte, et nous nous aperçûmes un peu tard de l'erreur. Mounette a gardé son nom, et surtout sa gentillesse et sa personnalité.

Moi qui n'aime pas la couture, j'avais même appris à tricoter pour Mounette, je l'habillais comme une poupée, jupette et haut sans manches, la promenais dans un landau. Elle était d'une patience d'ange.

Le soir, Mounette venait dormir avec moi, dans mon lit, à mes côtés. Elle était sur le dos, ses deux petites pattes bien posées sur le drap. Jamais mes parents n'avaient vu un tel

Rabattre le coin ici.

Rabattre le coin ici.

chat, ni une telle complicité entre un chat et un enfant. À la grande école, Mounette m'inspirait des histoires que la maîtresse lisait tout haut et qui faisaient ma fierté. Si j'écris, c'est vraiment grâce à elle.

Mais j'ai dû partir en vacances comme tous les ans, dans le Dauphiné, chez ma grand-mère, un long mois. Où il n'était même pas question d'envisager que j'emmène Mounette avec moi. Une journée en train, c'était si long !
Je suis partie confiante dans l'amour que Mounette avait pour moi, j'étais persuadée qu'elle allait m'attendre, mais… Mounette était un matou, elle grandissait…
À l'époque, on ne castrait pas les chats de façon courante, alors Mounette a pris la poudre d'escampette pour aller courir le guilledou.

Mon retour de vacances fut d'une grande tristesse, cet été-là, mais aussi petite que j'étais, c'est vraiment Mounette qui m'a fait comprendre que la liberté est un besoin fondamental des êtres vivants – et qu'il faut l'admettre, même si cela coûte. Aimer l'autre, c'est le laisser vivre sa passion, découvrir son horizon. Entre parenthèses, si on savait comme je peux être inquiète, jalouse! Mais les chats, je les comprends parfaitement. C'est Mounette qui m'a appris à respecter la liberté des chats, bien sûr, mais aussi celle des autres.

Rabattre le coin ici.

Rabattre le coin ici.

Je l'ai revue, car elle n'était pas partie très loin, elle habitait en face de la grande école où j'étais. Et j'ai traversé la rue, l'ai prise dans mes bras, mais j'ai compris qu'elle avait refait sa vie, qu'elle ne reviendrait pas sur ses pas. Et je l'ai accepté ainsi. Longtemps après, alors que j'étais en 4ᵉ, lorsque par chance le devoir de français était « Expression libre », j'écrivais encore à propos de Mounette et c'est là que j'ai eu les meilleures notes.

Depuis Mounette, j'ai toujours eu des chats, sauf à la fac où ça n'était guère possible vu l'exiguïté des chambres. Les chats me sont nécessaires à l'écriture. Sans eux je ne pourrais pas travailler. Il y en a toujours un qui veille sur mes doigts et surveille avec bienveillance mon travail. D'ailleurs, tous les matins je parle à Luhna, pour lui annoncer le programme de la journée, je lui raconte mes rendez-vous chez les éditeurs, je lui dis toujours : « Tu m'aideras, on a un nouveau livre à faire. » Elle ne me quitte pas. Je lui dis souvent : « Viens, on va réfléchir, chercher des idées. » Elle adore, elle dort à poings fermés. Un chat, c'est idéal pour la concentration.

Les chats, c'est devenu contagieux dans ma famille. Car, si j'étais la seule à avoir un chat quand j'étais petite, finalement quand je regarde aujourd'hui autour de moi, il y a des chats chez tous mes frères et sœurs, mes neveux et nièces, et maintenant la troisième génération arrive. Et lorsque l'on se voit ou se téléphone, de quoi parle-t-on ? De chats ! Et il y a quelques années, lorsque des amis ont

Rabattre le coin ici.

Rabattre le coin ici.

découvert mes chats des forêts norvégiennes, et la manière dont je leur parlais, ils ont voulu un chat.

Quand je fais des câlins à ma Luhna, aujourd'hui, il me revient quelque chose de très doux, du cœur de mon enfance, des chats qui m'ont bercée, et surtout de la tendresse de Mounette.

Comme si chacun de mes chats lui était reconnaissant de m'avoir bien éduquée, reprenant, dans des styles différents, ce rôle si présent d'ange gardien. Un amour intense.

Inspiré par
BRIGITTE BULARD-CORDEAU,
journaliste-écrivain

STRIPPES

Les chats, encore les chats, rien que les chats!

Rabattre le coin ici.

Rabattre le coin ici.

Grandir avec des chats forge le caractère, jusqu'à faire dévier la belle trajectoire professionnelle planifiée de longue date.

Ma mère a toujours eu des chats, elle a été mariée avec vingt et un chats, qui m'ont élevée. En Afrique du Sud, où je suis née, j'ai vraiment grandi au sein d'une colonie de chats, entre douze et vingt selon les moments. Mes parents sont tous deux médecins. Et je me destinais, adolescente, à être ingénieure aéronautique. Jamais je n'avais pensé être médecin ou vétérinaire.

Il n'y a vraiment qu'un, peut-être deux chats, dans une vie, avec lesquels on établit un lien très fort ; le mien s'appelait Strippes, un tigré (d'où son nom), arrivé chaton à la maison. Ma mère avait récupéré la portée dans la rue. Strippes était *mon* chat. En Afrique du Sud, on se sert tout le temps de la voiture pour aller d'un endroit à un autre. Quand je rentrais de l'école, il m'attendait à la porte, à 200 mètres de la voiture, et me sautait sur l'épaule. On marchait ainsi ensemble jusqu'à la maison. Il dormait avec moi, son museau très exactement posé dans l'angle entre mon œil et mon nez. Lui dormait très, très bien. Moi, je me suis vite habituée !

Quand il a eu 12 ans, Strippes est tombé malade ; il est devenu plus que mince, franchement maigre, et a cessé de se toiletter. Nous l'avons conduit chez le

Rabattre le coin ici.

Rabattre le coin ici.

vétérinaire. À l'époque, j'avais 20 ans. J'étudiais pour être ingénieure en mécanique, puis en aéronautique.

Le vétérinaire a pensé que le problème venait de ses dents, mais il n'a rien fait jusqu'au moment où l'infection a gagné, avec une gingivo-stomatite très douloureuse. Strippes a arrêté de manger. Au moment où cela s'est produit, j'étais en train de biberonner un chaton pour le sauver.

Strippes a été hospitalisé et le vétérinaire m'a autorisée à venir le voir. J'ai passé l'après-midi à ses côtés, et j'ai vu que le vétérinaire était tracassé.

J'ai demandé à sortir Strippes et à pouvoir lui faire les soins, y compris les perfusions, à la maison. Il a passé une bonne nuit, là où il aimait dormir, avec son cathéter et son flacon de soluté de réhydratation.

Alors, j'ai appelé un autre vétérinaire. C'est lui qui a diagnostiqué la leucose. Et m'a annoncé qu'il n'y avait rien à faire… Strippes a été hospitalisé de nouveau, son état se dégradant très vite. À l'époque, en Afrique du Sud, les cages étaient en béton. Celle de Strippes n'était pas très accueillante, il était sur un caillebotis avec du papier journal…

Lorsqu'il a fallu l'euthanasier, j'ai demandé à ce qu'il soit là, sur mon épaule, comme il avait toujours été toute sa vie, tout simplement… Et c'est comme cela que les choses ont été faites, en douceur.

Ma mère conduisait une Coccinelle jaune ; c'est dans cette voiture, en rentrant à la maison, que j'ai su que j'allais devenir vétérinaire.

Rabattre le coin ici.

Rabattre le coin ici.

Et que je ne volerais jamais aux commandes d'un avion. J'étais encore en état de choc, ma mère roulait vite, mais tout était très clair pour moi sur mon avenir professionnel. Une fois entrée à l'École vétérinaire, j'ai toujours voulu faire de la médecine féline. Les chats, encore les chats, rien que les chats ! Quand j'ai terminé ma scolarité, j'ai jeté au feu tous les autres cours.

J'ai quitté l'Afrique du Sud pour le Canada, avec quatre pages de notes sur la médecine féline, et me suis installée à Vancouver. J'ai toujours eu des chats, sauf pendant les six mois après mon arrivée. J'ai fait venir ma mère, qui a apporté un chien et dix-neuf chats. Dont six étaient les miens. Huit ans après mon départ, les chats m'ont reconnue. Tintin a vécu dix-sept ans, malgré ses kystes rénaux, mais a reçu pendant cinq ans une réhydratation sous-cutanée chaque semaine, puis deux fois par semaine, les sept derniers mois. C'est au moment où il s'est approché de la fin de sa vie que je me suis levée chaque jour à 2 heures du matin, pour boire un fond de cognac en sa compagnie, car je savais qu'il allait mourir prochainement, c'était notre rituel. Notre remontant !

On rencontre beaucoup de chats dans sa vie – à la fin de mes études vétérinaires, j'en avais certainement rencontré une centaine – mais seuls un ou deux comptent dans une vie d'humain. Et Strippes est définitivement celui qui a changé la mienne.

Inspiré par
NICOLETTE JOOSTING,
vétérinaire pour chats, Vancouver

Rabattre le coin ici.

Rabattre le coin ici.

GLADYS

L'école de la passion
et de la patience

Il y a des coups de foudre à combustion lente. Au premier regard, Nathalie ne s'est pas méfiée, mais on ne peut pas oublier la façon dont un Sphynx vous regarde, droit dans les yeux, jusqu'à toucher votre cœur et y faire impression pour la vie !

On a des histoires particulières avec tous nos chats, mais avec certains plus que d'autres, notamment Gladys, la première chatte issue de la première portée que j'ai eue en tant qu'éleveuse.

Être éleveuse, c'est une passion, chronophage et coûteuse. Qui demande des trésors d'amour et de patience, car il ne suffit pas de mettre deux chats ensemble et de les laisser faire, loin s'en faut.

Au départ, j'ai pensé élever des Persans, qui étaient la race en vogue. À la première exposition que j'ai faite, mon voisin avait un Sphynx. Je l'ai trouvé curieux au premier abord, mais son regard ne m'a plus quittée. J'ai attendu plus de six ans pour avoir ma première femelle apte à la reproduction.

Rabattre le coin ici.

Rabattre le coin ici.

Le premier chat était atteint de cardiomyopathie hyper-trophique (CMH), une maladie cardiaque héréditaire, la deuxième chatte, de spasticité (une maladie neuromus-culaire, encore héréditaire). C'est la troisième, Troïka, indemne de toute maladie héréditaire dépistable, que je suis allée chercher en Suisse, qui m'a donné ma première portée — faite dans mon lit — au sein de laquelle j'ai choisi Gladys, une Sphynx noire.

Je voulais tous les garder, mes chatons de la première portée! Mais il fallait bien choisir.

Et ma chouchoute — même si je les aime tous — ce fut et c'est toujours Gladys : noire avec des yeux or à vert, magnifique.

Mais lors de sa première année, elle a développé des problèmes de peau, à la suite du retour de son frère d'une très bonne pension, où un excès de ménage leur avait joué des tours. Les box étaient nettoyés chaque jour à fond et les chats, en attendant que leur cage soit propre, avaient tout le loisir de se dégourdir les pattes en allant faire museau-museau avec ceux d'à côté. Il est donc revenu de pension avec la teigne, dont on a d'abord pensé qu'il l'avait transmise à sa sœur. Mais le traitement n'y faisait rien, bien que Gladys ait été isolée pour recevoir les médicaments. Elle a été d'une gentillesse infinie. En fait, Gladys faisait une réaction allergique, qui a pu être traitée avec des comprimés m'obligeant à l'emmener partout avec moi et à développer avec elle des relations beaucoup plus fortes qu'avec les autres. Elle ne mettait qu'une seule condition à prendre ses médicaments chaque jour : recevoir un long câlin de 30 minutes, non négociable !

Rabattre le coin ici.

Rabattre le coin ici.

C'est ce qui lui a permis de supporter l'isolement auquel je l'avais contrainte, dans le doute, pour ne pas contaminer les autres éventuellement.

Quand elle a été guérie, elle a fait des expositions et a reçu beaucoup de prix. Jusqu'à une exposition à Gagny où elle n'a rien gagné, car il y avait un mâle belge sublime qui a raflé toutes les récompenses. Nous étions toutes les deux un peu déçues mais force était de reconnaître qu'il était beau. Au dernier podium, à la fin de la journée, l'éleveuse de ce Sphynx est venue nous voir et... a demandé Gladys en mariage, une belle reconnaissance.

Sauf qu'avec Gladys, rien n'est comme avec les autres chattes qui sont en chaleur très souvent. Deux fois par an, pour Gladys, c'est bien suffisant. Nous avons donc attendu le moment propice et sommes parties en Belgique – en élevage félin, on ne stresse jamais le mâle reproducteur, ce sont les chattes qui viennent à lui.
Un essai, puis deux, puis trois, et... aucun bébé. Il a fallu attendre quatre ans et un autre mâle pour que Gladys

donne enfin naissance à deux très beaux chatons, un dimanche, bien sûr, et la nuit…

La « chaternité » n'est pas de tout repos, ce sont souvent de grands moments d'angoisse. Car, une fois nés, il faut faire tester les chatons pour les maladies génétiques, faire réaliser les échocardiographies, etc. Bref, s'en occuper à plein temps. Mais avec de belles récompenses à la clé puisqu'il est question que l'éleveuse du champion belge prenne la fille de Gladys et que la boucle soit bouclée !

Rabattre le coin ici.

Rabattre le coin ici.

Petite, je n'ai pas eu de chat car maman était maniaque et ne voulait pas d'animaux dans la maison. Alors je collectionnais ce que je pouvais, comme les fourmis, que je nourrissais au sucre. Je faisais véto des fourmis !

À 6 ou 7 ans, j'ai recueilli un chat que je faisais rentrer le soir dans ma chambre par la porte-fenêtre et, le matin, je le remettais dans le jardin. Tous les soirs, il revenait.

Adolescente, j'aurais voulu être vétérinaire mais je n'ai pas pu, donc je me suis orientée vers la médecine et l'orthoptie. Mais aujourd'hui, je me suis clairement rattrapée, et les Sphynx sont devenus ma raison de vivre. Leur physique est déroutant à première vue. Mais eux vous regardent droit dans les yeux, ce qu'aucun autre chat ne fait. Avec une intensité exceptionnelle qui scelle votre relation. Et leur regard ne vous quitte plus, il fait son chemin.

Il n'y a pas de mots pour décrire un Sphynx, il faut être avec eux et les voir au quotidien.

Inspiré par
NATHALIE BADET,
orthoptiste et photographe
http://sphynx-chatminath.com

Dr MEW

Mascotte au Cornell Feline Health Center

L'assistance au bureau est l'une des tâches favorites des chats. Pour un scientifique comme Jim Richards, Dr Mew a été un véritable collaborateur, avec qui il a fait équipe pendant près de dix-sept ans.

Rabattre le coin ici.

Rabattre le coin ici.

Je suis arrivé chaton au Cornell Feline Health Center, né en 1990 d'une mère frappée par ce qu'on appelait déjà le sida félin, un mauvais nom qui a fait tant de dégâts dans les refuges – l'été 1989 fut meurtrier en France comme aux États-Unis, sous la bannière « sida : les chats aussi ! » provoquant des abandons en masse.

On devrait prier les journalistes de tourner sept fois leur plume sur leur marbre plutôt que d'envoyer au casse-pipe des chats qui n'avaient rien demandé. Le poids d'un bon mot se paie au prix fort quand on naît chat…

Au moment où je suis né, les scientifiques ne savaient rien de mon virus. On ne connaissait que le sida et les perspectives n'étaient donc pas brillantes.

J'ai été accueilli comme un chaton un peu turbulent et je suis très rapidement devenu la mascotte très respectée de la noble institution où j'ai vécu presque dix-sept ans, démontrant par l'exemple, que le rétrovirus de l'immunodéficience féline laisse à celles et ceux qu'il frappe une espérance de vie similaire à celle de leurs congénères non FIV positifs. Je n'avais reçu de ma mère que les anticorps contre le virus, que j'ai rapidement éliminés, contrairement à d'autres chats qui restent porteurs du virus leur vie durant.

J'ai contribué à changer la vie du centre de Cornell, que j'ai rendu particulièrement « Chat l'heureux », mais j'ai aussi aidé à la recherche sur ce virus que j'ai mieux fait connaître.

Ce qui m'a le plus frappé ici, à l'université de Cornell, dans ce coin des États-Unis au climat si rude (on

Rabattre le coin ici.

Rabattre le coin ici.

passe le plus clair de l'hiver sous la neige), c'est que les deux principaux chercheurs et responsables du centre se sont d'abord occupés des vaches et de leurs virus avant de s'intéresser aux chats, et de n'en plus démordre !

Grâce aux vaches, ils ont été rapidement beaucoup plus efficaces à comprendre les diverses maladies infectieuses qui frappent les chats, notamment lorsque ceux-ci vivent en refuge, donc finalement en troupeau, comme leur alter ego bovin.

En 1994, je me souviens d'une journaliste vétérinaire française qui voulait absolument faire une photo de moi dans les bras ou sur les genoux de Fred Scott, mon grand patron. Fred en a été très surpris. Ce n'était pas son genre, les familiarités, mais il ne pouvait refuser. Alors j'ai posé, pour faire plaisir, dans ses bras, mais ensuite je suis allé dans ceux de Jim Richards, son collaborateur, et là, elle a vu la différence. Comme on dit, il n'y avait pas photo ! J'adorais Jim, comme toute la communauté féline d'ailleurs. Non pas que Fred ne soit pas agréable, il l'est, bien sûr. Mais Jim avait vraiment l'art et la manière de créer naturellement un climat propice à la réflexion, y compris dans des situations très difficiles. C'est Jim qui a conduit toute la réflexion sur les fibrosarcomes félins, dont on a d'abord pensé qu'ils étaient induits par la vaccination, puis dont on a compris qu'ils pouvaient survenir après des injections banales, selon le lieu de l'injection et la prédisposition génétique de chaque individu. Il a réussi cette gageure de mettre autour d'une table les praticiens félins, les enseignants, les chercheurs et les producteurs

Rabattre le coin ici.

Rabattre le coin ici.

de vaccins pour arriver à un consensus et donner des recommandations. Les premières ont été publiées en 1995, actualisées en 2001 puis 2006. Depuis, on évite de nous injecter les vaccins entre les omoplates, un endroit trop sensible, et la qualité des vaccins a beaucoup gagné en innocuité, progressé en technologie, pour une espèce aussi particulière que la nôtre.

Jim avait vraiment un charisme exceptionnel. Les praticiens félins américains l'ont d'ailleurs élu président de leur association en 2004.
Et à mon décès, le 1er mai 2006, il m'a écrit un hommage vibrant, disant à la planète Chat tout son chagrin.

Personne ne pouvait se fâcher avec lui. Sauf le dimanche matin du 22 avril 2007, où tout le monde lui en a voulu. C'était un dimanche rayonnant, lumineux, la vraie première journée de printemps à Ithaca, après un hiver neigeux comme de coutume.
Jim a sorti sa moto flambant neuve, il a mis son casque et son équipement, et il est parti.

Sur la route 79, entre Ithaca et Cornell, un chat a traversé. Leurs trajectoires se sont entrechoquées… et le monde vétérinaire félin a perdu son meilleur ambassadeur.

Pour la première fois, Jim m'a fait de la peine, en me rejoignant si prématurément…

Dr MEW
www.vet.cornell.edu/FHC

Rabattre le coin ici.

Rabattre le coin ici.

ZELDA

La 72ᵉ de l'EHPAD

Last but not least ! comme disent nos amis britanniques, et c'est la formule appropriée pour qualifier la présence d'une chatte au sein d'un établissement de soins spécialisé dans l'accueil des patients atteints d'Alzheimer.

Je m'appelle Zelda, et je suis arrivée à l'âge de 2 ans (je n'ose pas dire que j'ai été embauchée !) ici le 9 février 2014.

C'est le jour où ma vie a changé et où j'ai radicalement aussi changé la vie de soixante et onze résidents en devenant à part entière la 72ᵉ pensionnaire de la maison.

C'est au 1er étage qu'on a installé mon bureau et mes appartements. Un étage très accueillant puisque d'emblée une des résidentes pas très loin de l'escalier a trouvé que je ressemblais comme deux gouttes d'eau à son chat et m'a adoptée. Son lit est vite devenu ma résidence secondaire ! J'y fais des siestes voluptueuses pendant qu'elle regarde la télé avec discernement. Le son n'est pas trop fort, on voit qu'elle a très bien été éduquée par cette chatte à qui je ressemble, et j'ai plaisir à être en compagnie d'une

Rabattre le coin ici.

Rabattre le coin ici.

personne qui a un si bon savoir-vivre chat ! Elle n'essaie jamais de me prendre dans ses bras et j'apprécie beaucoup son respect de ma personnalité.

Ce sont ses enfants qui ont eu la bonne idée de choisir une chambre à mon étage et je leur en suis très reconnaissante.

D'ailleurs tout le monde ici est très gentil avec moi, les résidents, le personnel, la directrice ; j'ai vraiment été choisie, voulue et cela, quand on sort d'un refuge, aussi bien traitée qu'on l'ait été, c'est un grand réconfort.

Au refuge, tout le monde aussi était très gentil, mais je devais partager avec d'autres chats mon petit logement. Et cette promiscuité pour un chat, c'est vraiment pas facile. Ici, j'ai un grand jardin avec des fleurs, un arbre et du ciel bleu juste au-dessus. Et entre les résidents et l'équipe soignante j'ai, au bas mot, presque une centaine d'admirateurs. Avec Jean-Paul, l'infirmier coordinateur qui veille personnellement sur moi. Il est un peu maniaque sur mes yeux, que je ne sais pas nettoyer. Au début, je n'étais pas d'accord, mais j'ai fini par comprendre qu'il participait à ma beauté, alors je ne le taquine plus et accepte de recevoir des soins, moi aussi !

Il a été mon ambassadeur bienveillant auprès de certains soignants, qui auraient voulu ne s'occuper que de moi ou qui, *a contrario*, étaient terrorisés de me voir, notamment d'être seuls avec moi dans l'ascenseur.
Un outil très urbain avec moi, me servant de miroir quand j'attends qu'il desserve l'étage que j'ai choisi. Je reste ainsi,

Rabattre le coin ici.

Rabattre le coin ici.

stoïque et inébranlable au milieu du chemin, en priant les résidents de me contourner pour passer, un petit exercice d'attention qui entretient les méninges et la coordination motrice.

Lorsque l'ascenseur a eu des faiblesses et s'est retrouvé temporairement en maintenance, il a fallu que moi aussi je fasse de l'exercice et prenne les escaliers, comme tout le monde. J'ai très vite tout repéré et compris : six étages, six coloris très pimpants, qu'on reconnaît seulement lorsque la porte s'ouvre. Avec une topographie très différente pour chaque étage, mes neurones remercient l'architecte !

Même au bout de deux années, je les épate toujours en choisissant soigneusement mon étage et en restant plantée au milieu jusqu'à ce que ce soit le bon. Je garde mon secret !

Surtout j'ai l'impression, avec ces couleurs différentes par étage, d'être dans un grand paquebot et, comme le capitaine, d'aller de pont en pont, selon mon humeur.

Ma principale caractéristique, c'est d'être là où personne ne m'attend. Bref, d'être un chat, qui ne lit pas les livres ni les articles scientifiques et n'en fait qu'à sa tête. Je ne m'appelle pas Oscar, moi, ce chat dont le comportement a fait la une des journaux. Vous ne me verrez jamais au chevet d'un mourant. Ce n'est pas mon trip, comme vous dites. Je suis très philosophe, je vis au jour le jour et vais où bon me semble. J'ai mes têtes, comme tout un chacun, et surtout je n'insiste jamais auprès de celles et ceux qui n'apprécient pas particuliè-rement les chats.

Rabattre le coin ici.

Rabattre le coin ici.

Si je n'étais pas noire et blanche, on pourrait presque me surnommer « Boucle d'or », car j'essaie tous les lits, et je n'aime rien tant que l'odeur du propre, juste après que les femmes de ménage sont passées. C'est ma façon de leur dire que j'apprécie à sa juste valeur leur travail. Même si je sais que je laisse quelques poils sur les couvertures... Mais j'aime tant le confort, le moelleux, je ne peux pas résister ! J'ai quelques chouchous parmi les résidents, tout en restant très tolérante avec tous, notamment une dame qui adore me prendre dans ses bras. Je ne cours pas après ce genre d'effusion, mais je me laisse faire sans griffer. Pour être respecté, il faut respecter soi-même les autres et j'y mets un point d'honneur.

Je ne monte pas sur les tables, ni ne vole dans les assiettes. Je ne vais jamais en cuisine, ni ne fais la razzia sur les brioches et le beurre le matin au petit-déjeuner. En revanche, je suis intransigeante sur l'eau, et la fontaine. Quand j'ai soif, je le dis, mais ni haut ni fort, car je ne miaule pas, mais j'ai l'art de me faire comprendre !

Et j'aime la bibliothèque et ses richesses, à tel point que j'y ai déjà passé une nuit toute seule...

En revanche, je ne suis pas chat de genoux pour deux sous ! Donc je respecte la garde-robe de chacune et chacun des pensionnaires, mais j'adore passer chez les uns et les autres, y compris dans le bureau de la directrice, le temps d'un câlin.

J'aime être simplement avec les résidents, notamment quand vient la belle saison et qu'on peut aller s'asseoir sur le banc au jardin. J'ai même poussé une fois la curiosité jusqu'à la rue, mais je suis vite revenue car je suis trop bien dans mon chez-moi !

Rabattre le coin ici.

Rabattre le coin ici.

Un grand arbre au milieu de Paris, avec un ami assis sur le banc, six étages avec ascenseur, c'est le paradis pour un chat comme moi. Car ici c'est moi la reine, et grâce à moi, les petits-enfants des résidents reviennent plus souvent pour m'apercevoir au standard, sur une tablette ou au jardin, à regarder les oiseaux, dans l'herbe ou assise sur mon banc avec un résident. Que du bonheur.

ZELDA
avec l'aide bienveillante d'Isabelle Etesse, directrice
des Parentèles de la rue Blanche
www.almage.com/parenteles-rue-blanche-projet-centre-alzheimer/

TIGGER

Chats d'école, école des chats

Quand on aime les chats tigrés de la rue, on en prend souvent deux, en pensant bien faire. Mais les chats aimeraient souvent qu'on les consulte sur nos choix, et il nous faut parfois des années et des drames pour les comprendre réellement.

Rabattre le coin ici.

Rabattre le coin ici.

Celui qui a changé ma vie, c'est mon premier chat ! Mes parents avaient des chiens, mais un de mes professeurs au collège avait deux petites chattes tigrées à adopter et mes parents ont accepté que je prenne les deux. J'avais 14 ou 15 ans à l'époque, et mon professeur de physique les avait apportées en classe ; l'une des deux s'est échappée. Pendant trois jours, on l'a cherchée dans toute l'école, on a fini par la retrouver et les deux ont été réunies à la maison et se sont toujours entendues à la perfection.

Elles s'appelaient Tigger et Cindy.

Ce fut mon premier contact avec le monde félin. Je n'en avais jamais eu auparavant. Une fois, l'une d'elles a disparu pendant quinze jours, car elle avait été enfermée par mégarde dans le garage de voisins. Elle est revenue très amaigrie, mais a repris sa vie normale. Aujourd'hui, avec tout ce que je sais en médecine féline, je suis totalement admiratif de son instinct de survie. Plus tard, l'une d'elles a développé une hyperthyroïdie et a été opérée à l'École vétérinaire au moment où j'y faisais mes études.

C'est très formateur d'être soi-même propriétaire de chats, de vivre et de ressentir les mêmes expériences que nos clients. Et chacun de mes chats m'a apporté sa propre leçon de vie.

J'ai eu ensuite à nouveau deux chattes, qui n'étaient pas issues de la même portée, et que j'avais donc rencontrées pendant ma Cat School, pardon, mon PhD (doctorat). Je les ai fait sortir du laboratoire où elles avaient travaillé pendant deux années.

Rabattre le coin ici.

Rabattre le coin ici.

Le premier jour chez moi, elles n'y ont pas cru, elles se sont cachées sous le lit et y sont restées trois ou quatre jours. Et puis elles sont sorties de leur abri, se sont enhardies, ont regardé la maison avec circonspection, et d'un seul coup j'ai vu qu'elles y croyaient... Elles n'étaient plus prisonnières dans un laboratoire (où elles avaient été très bien traitées, bien sûr, mais néanmoins assignées à demeure et avec des contraintes quotidiennes). Leur bonheur a été contagieux car elles faisaient plaisir à voir tant elles ont profité de la vie. Penny et Cookie s'entendaient vraiment très bien toutes les deux, même si elles n'étaient pas de la même portée. Elles avaient grandi ensemble comme chatons et, adultes, elles dormaient dans les pattes l'une de l'autre. Cookie, ma chatte grise, est morte jeune d'un lymphome intestinal. Ce qui a été un déchirement total car elle était la gentillesse même. Lorsque le cancer frappe votre propre chat, vous êtes comme tous les propriétaires, à espérer un miracle. Je comprends d'autant mieux mes clients que j'ai moi-même ressenti la force et l'énergie que ce lien homme-animal peut vous donner pour sauver cet être cher qu'est votre chat.

Bêtement ensuite, j'ai pris à nouveau deux chats de refuge, Tigger et Holly, pour que Penny ne soit pas seule, et Kita, une Ocicat.

C'est une idée qu'on a tous et j'ai cru bien faire. J'ai toujours eu des chats qui allaient par deux et qui s'entendaient bien. Les deux chats venaient de deux refuges différents. Tigger était supposé être une chatte, c'est ce que le refuge nous avait dit, et je n'ai pas vérifié immédiatement. Il avait 14 semaines, il était magnifique. Ce n'est qu'une fois à la maison que j'ai réalisé l'erreur : j'étais au jardin avec lui,

Rabattre le coin ici.

Rabattre le coin ici.

quand soudainement je l'ai vu frétiller de la queue… Tigger n'était donc pas une femelle !

Mes quatre chats ont vécu à peu près dix années ensemble, avec un accès à l'extérieur qui a fait que je n'ai jamais vu d'agression ouverte entre eux, ni même entendu de feulements. Mais à un moment, nous avons eu un épisode de marquage urinaire d'un de mes chats, à qui j'ai trouvé des circonstances atténuantes avec des chats entiers qui rôdaient autour.

Holly, mon écaille de tortue, a déclaré alors une insuffisance rénale qui a évolué très vite. En trois mois, j'ai été obligé de prendre la décision, si difficile quand on évalue la qualité de vie – on hésite toujours –, de l'endormir à jamais.

Ce qui s'est passé ensuite m'a troublé et je ne l'oublierai jamais : lorsqu'elle est morte, la dynamique des relations entre mes trois chats a totalement changé. Mon tigré, Tigger, qui avait pris l'habitude d'aller dehors et qui avait eu cet épisode d'uriner dans les coins, est rentré beaucoup plus souvent à la maison sans être jamais malpropre. Mais il a changé radicalement de comportement du jour au lendemain, dès le décès de Holly, en devenant vraiment serein.

Et c'est alors seulement que j'ai pu mesurer combien elle l'avait stressé…

l est désormais le seul survivant et coule des jours tellement heureux, seul maître à bord. Mais je n'oublierai jamais les leçons de mes chats. Ce sont les meilleurs professeurs, surtout quand ils sont tigrés, comme Tigger !

Inspiré par
ANDY SPARKES,
vétérinaire,
directeur scientifique de l'International Society of Feline Medicine
www.icatcare.org

Rabattre le coin ici.

Rabattre le coin ici.

MINA

Le bac : une grande leçon de vie

Moncrif disait qu'on apprend beaucoup dans les gouttières. Aujourd'hui encore, trois siècles plus tard, on apprend aussi dans les bacs des chats, pour autant qu'on accepte les leçons de vie qu'ils nous proposent...

Mina a commencé sa carrière dans une famille où les deux aînés, de grands ados, étaient partis rejoindre les bancs de l'université. Restait la petite dernière, footballeuse endiablée, et moi, Sara, une enfant en placement. Il y avait du mouvement, mais Mina s'y était habituée. Au printemps qui a suivi sa première sortie à l'extérieur en fin d'hiver, elle a eu sa première portée. Quelle joie pour nous !

Mina et ses petits furent cantonnés dans la penderie, lieu central de la maison, avec sa pénombre feutrée, d'où les bruits ne parviennent qu'en sourdine.

Premier voyage pour Mina et sa portée qui partirent en voiture, pour un mois de villégiature chez une parente vétérinaire, le temps de la stérilisation et de trouver des maîtres pour la portée. Tous les chatons furent placés et Mina revint seule dans notre famille d'humains.

Rabattre le coin ici.

Rabattre le coin ici.

C'est à partir de ce moment que les choses se sont un peu gâtées, car elle n'était pas toujours très propre. Elle faisait pipi dans des endroits curieux…

Léa est arrivée et nous nous sommes trouvées deux enfants en placement. Léa n'a pas le même tempérament que moi, qui ai un peu la bougeotte mais qui suis rassurante, j'espère, pour les chats que j'ai toujours adorés. Léa a vécu des choses plus terribles que moi avant de trouver ici un équilibre nécessaire à son développement. Mais je crois qu'avec Mina, elles ne se sont pas bien comprises, surtout quand Léa hurlait et attrapait Mina.

Depuis sa stérilisation, Mina s'est fait agresser par une chatte entière (non stérilisée) mal lunée qui vient souvent devant les immenses baies vitrées de la maison d'architecte pour uriner et lui cracher dessus. Ce qui donne d'autres ïdées aux chats mâles entiers… Moi, je n'ai pas tout vu, surtout que cela se produisait parfois quand j'étais à l'école, mais Tatie, la mère de famille, me raconte des scènes de terreur où Mina, au lieu de fuir en voyant arriver ces méchants chats, urine sous elle, littéralement pétrifiée devant la baie vitrée.

Mina a progressivement migré vers le garage (qui est derrière la maison, à côté de la cuisine) qu'elle a passablement massacré, urinant régulièrement en dehors du bac, mis à côté de son écuelle (« Je croyais que c'était bien », a dit Tatie qui ne savait pas que ce n'était pas la bonne façon de faire), pour finir au sous-sol, dans une quasi-pénombre. Mina vit dès lors recluse, sort dans le jardin à chaque fois que c'est possible.

Rabattre le coin ici.

Rabattre le coin ici.

La situation s'est tellement dégradée que nous avons tenu un conseil de famille ; en l'absence de solutions simples (les voisins n'ont pas voulu faire castrer leurs chats pour qu'ils restent chez eux et changent de comportement, et nous, nous n'avons pas pu prendre un chien de garde pour Mina, qui aurait fait rempart…), on a décidé, dans l'intérêt d'une meilleure qualité de vie pour Mina, de s'en séparer. Lorsqu'elle a quitté la maison, dans sa cage, à l'intérieur d'une voiture qui n'était jamais venue ici, Mina a été une dernière fois agressée par l'un des chats mâles entiers « terroristes », venu sur le pare-brise cracher et fixer du regard la cage dans laquelle Mina était…

Avant de la placer, Mina a été confinée dans une pièce neutre, dans une clinique vétérinaire, pour vérifier qu'elle savait être propre, et elle a été reçue à « l'épreuve du bac » en moins de douze heures chrono !

Elle vit aujourd'hui dans une famille sans enfants ni autres animaux, où elle se plaît. Et moi je sais combien c'est difficile de quitter les siens, mais pour être bien, c'est parfois le seul moyen. Mina et moi, on s'aimait très fort. Là où elle est, elle sait que je l'aime toujours et je suis heureuse qu'elle se porte bien ailleurs.

Inspiré par
SARA,
12 ans

Rabattre le coin ici.

Rabattre le coin ici.

THE CAT GROUP

Une passion contagieuse

Ce ne sont pas tant des chats individuellement que des groupes de chats qui parfois modifient le cours de l'histoire et de la science, tant les maladies infectieuses sont un fléau pour les félins depuis si longtemps.

C'est par une éleveuse de chats qu'une partie de ma vie professionnelle a changé dans les années 1970. Le virus de la leucose, un des premiers rétrovirus identifiés chez un animal, le FeLV, avait été isolé en 1964, par mon frère William Jarrett aux côtés de qui j'ai travaillé. Il avait également fortement encouragé Robert Gallo, de l'institut de Baltimore, aux États-Unis, dans ses travaux sur les futurs rétrovirus humains. Chaque découverte apporte sa contribution aux autres, et celle d'un premier rétrovirus chez le chat a aidé les chercheurs dans le domaine qui allait devenir celui du sida, en à peine quelques années. Comprendre le lien entre l'apparition de certaines tumeurs ou cancers et la présence d'une infection virale a été une avancée capitale en santé humaine, dont bien des étapes ont été possibles grâce aux animaux, et aux chats en particulier.

Rabattre le coin ici.

Rabattre le coin ici.

Six ans après la découverte de ce virus, les données scientifiques étaient déjà bien établies et permettaient d'en effectuer la recherche dans le sang de nos patients félins, malades ou porteurs. Nous savions déjà que c'était au sein des communautés de chats habitant ensemble qu'il y avait le plus de risques.

Beaucoup de jeunes vétérinaires ont presque parfois oublié aujourd'hui cette maladie, pourtant toujours et terriblement mortelle, qui frappait alors presque un tiers des chats (85 % des chats infectés succombant dans un délai très court).

C'est le drame qu'a vécu Ann Imlach, une éleveuse de Siamois, à Dundee, également devenue juge dans les expositions félines.

Au lieu de baisser les bras, elle a contacté un de ses amis, spécialisé en parasitologie, à l'université de Glasgow, qui nous a mis en contact. Elle avait à l'époque beaucoup de chats qui tombaient malades et présentaient des lymphomes, des maladies graves du système immunitaire. Nous nous sommes déplacés avec un collègue, avons examiné et testé tous ses chats. Certains étaient trop malades pour être sauvés, d'autres ont pu être tout simplement isolés des chats sains, non porteurs. Ce qui a permis à cette éleveuse de ne pas perdre toute sa lignée et d'éviter le désastre absolu, car elle avait de très beaux reproducteurs.

Avec le virus de la leucose, c'est le contact répété et quotidien entre chats très amicaux, comme le sont particulièrement les Siamois, qui favorise la propagation du virus d'un chat à un autre. Les chatons sont les plus sensibles et, en élevage bien sûr, ils sont nombreux.

Rabattre le coin ici.

Rabattre le coin ici.

Nous sommes revenus tous les six mois tester à nouveau tous les chats, et avons pu ainsi confirmer la prévalence du virus de la leucose en Écosse, estimée à 30 %, comme nos collègues américains William Hardy et Max Essex l'avaient démontré sur la côte Est.

Nous avons rapidement sympathisé avec cette éleveuse qui, comme toutes les passionnées de chats, s'est révélée très active et influente, vibrionnante, si je puis dire, et dans le meilleur sens du terme. Chez les amis des chats, la passion est contagieuse et la propagation des informations aussi efficace que celle des plus puissants virus, mais pour la bonne santé, cette fois ! Elle a alerté toute la communauté féline britannique, d'abord pour les Siamois, puis ensuite pour toutes les autres races, sur l'intérêt et la nécessité vitale de réaliser le dépistage. Les données scientifiques ne sont efficaces que lorsqu'elles sont comprises, mises en application et portées par celles et ceux à qui elles sont nécessaires. L'éradication de la leucose féline a pu se réaliser très rapidement dans les élevages félins, et c'est heureux. L'arrivée de vaccins efficaces a ensuite permis d'obtenir également d'excellents résultats, à côté des mesures classiques de dépistage et d'isolement des chats infectés.

La communauté féline est très agréable à fréquenter et j'ai beaucoup de plaisir à être le président du Cat Group qui réunit, en Grande-Bretagne depuis des années, l'ensemble des interlocuteurs du monde du chat : associations de protection animale, strictement féline ou généraliste, clubs de races, livre des origines, vétérinaires, universitaires et même des juristes.

Rabattre le coin ici.

Rabattre le coin ici.

C'est fascinant de mettre tout le monde autour d'une table. Ils n'ont tous qu'un seul objectif : le mieux-être des chats. Ils analysent clairement et objectivement tous les éléments et arrivent à un consensus efficace, contrairement à leurs alter ego canins qui ne laissent pas toujours les conflits personnels au vestiaire !

La question du statut juridique du chat a fait l'objet d'une publication récente, car elle soulève des aspects politiques tout autant qu'éthiques et réglementaires.

La stérilisation précoce des chats, vers leur quatrième mois, permet une régulation des populations mais également et surtout une prévention des maladies infectieuses. C'est un point sur lequel, au sein du Cat Group, nous sommes tous d'accord.

Mon père, qui était charpentier, possédait une ferme et avait des chiens de travail, quand j'étais enfant. Pour lui, les chats étaient un incident de parcours !

Depuis que je suis adulte et que j'ai fondé une famille, nous avons toujours eu des chats à la maison et je leur ai consacré toute ma carrière, avec beaucoup de bonheur.

C'est rare dans la vie d'un scientifique d'avoir vu émerger un virus, compris la maladie et avoir eu la joie de la voir maîtrisée. Je suis reconnaissant à l'intelligence de cette éleveuse de Siamois à mes débuts. Grâce à elle, et aux travaux de tous, nombre de vies de chats ont pu être épargnées.

Inspiré par
OSWALD JARRETT,
professeur émérite de virologie à l'université de Glasgow, Écosse
www.thecatgroup.org.uk

Rabattre le coin ici.

Rabattre le coin ici.

MAYA

La fulgurance joyeuse d'un éclair

La vie, c'est comme une course en montagne, il y a des hauts et des bas, le temps pour monter et celui pour redescendre. Les chats sont nos marqueurs d'étapes et nous aident à tourner les pages. Dans un concentré d'énergie parfois troublant.

Quand on arrive au soir d'une vie toujours passée avec un chat à ses côtés, on a plusieurs choix : être raisonnable et ne pas en reprendre, car passé les 80 ans on ignore ce que sera demain, ou, au contraire, faire confiance à la vie et mettre les « bouchées doubles ». C'est ce que j'ai fait en décidant avec John de reprendre un couple de chats, le frère et la sœur, des Siamois jumeaux. Nos doubles : Maya était le mien, et Misha celui de John.

C'était il y a six ans, c'était hier. Ils sont arrivés bébés, tout juste âgés de 3 mois, et déjà stérilisés, ce qui nous a évité des angoisses inutiles.

La première journée a été consacrée à créer un lien, donc… à faire la sieste ensemble, eux deux tout contre mon ventre, moi fascinée, oubliant de dormir. Autant dire qu'avec vous, ce fut rapide de s'attacher. Vous étiez déjà très différents et tu m'as choisie tout de suite, jolie Maya.

Et pour moi qui n'ai jamais connu les joies (ni les contraintes) de la maternité, quel bonheur vous m'avez donné !

Rabattre le coin ici.

Rabattre le coin ici.

Vous aviez chacun votre caractère et très rapidement nous avons formé une équipe de filles et une de garçons, ce qui nous a bien rajeunis!

Tu avais un très bon rapport avec ton frère jumeau, il était patient et respectait tes jouets, en particulier ton petit chat jaune. Il te trouvait sans doute un peu trop exubérante, mais il t'acceptait comme tu étais, toujours prêt à faire des courses effrénées avec toi.

Misha profitait surtout allègrement de toi, soyons honnêtes. Au jeu de l'oreiller, pour la sieste, c'est très souvent sur toi qu'il venait poser son oreille. Vous dormiez souvent emmêlés dans les positions les plus improbables qui nous ont tant fait rire.

Mais c'était un frère qui t'avait choisie comme oreiller exclusif – son côté mec, car tu n'aurais pas osé lui demander la réciproque! – et vos siestes, en tout endroit, devenaient des œuvres d'art. L'un n'aurait pas pu voler le prix de l'élégance à l'autre, vous étiez toujours ex æquo! Misha était l'expert de la méditation, sur les genoux de John, son maître, deux fois par jour. Ce dernier a appris ainsi à méditer avec une boîte à ronronner sur ses genoux et sous ses mains. Une invention à eux, une histoire d'hommes.

Toi, ma jolie Maya, tu avais la grâce et l'agilité d'une danseuse qui bondissait vers des perchoirs de plus en plus hauts, toujours gaie, heureuse de vivre et de bavarder avec moi. Nous avions de longs dialogues et tu m'amusais avec tes goûts bizarres : l'odeur du café qui t'attirait de l'autre bout de la maison, de la salade que tu dénichais au milieu des sacs de provisions et, avant le déjeuner, c'était l'essoreuse qui était ton signal pour venir manger quelques feuilles.

Rabattre le coin ici.

Rabattre le coin ici.

Tu avais un doudou, ton ami de cœur, c'était le petit chat jaune offert à Belle, notre Bleue de Russie, il y a des années, et dont tu avais hérité. Tu nous l'apportais en offrande, c'était touchant, il faisait le tour de la maison. Quelquefois, tu le cachais sous un tapis et on le cherchait pendant des semaines, mais les retrouvailles étaient joyeuses. Je n'ai jamais eu l'idée de t'initier à la peinture, mais je suis certaine que tu y aurais excellé.

Tu aimais la sieste le matin au bord de la fenêtre, surveillant d'une oreille distraite le clic de la souris et les mails ou photos papillonnant sur l'ordinateur.

Ma Maya, si élégante, tu m'as rendue très heureuse par ta présence pendant plus de six ans, c'était beaucoup trop court… Tu es partie dans mes bras, foudroyée. Un très long cri, déchirant, atroce. Tu venais de faire la sieste avec moi, comme d'habitude, sous la couette où tu étais venue te couler avec délices. C'étaient ton privilège et ton bonheur. Tu ronronnais d'aise.

Nous avions somnolé ensemble sans que je sache laquelle de nous deux avait dormi.

Le téléphone a sonné, John nous appelait depuis l'Italie. Je venais de raccrocher et hésitais à poursuivre un brin de sieste. Et soudain tu as crié, ton désespoir, ta douleur, ce qui allait être l'inexorable et que je voyais sans y croire sous mes yeux. Puis tout s'est arrêté. Ton cri, ta respiration, ta vie.

Une partie de moi t'a suivie… Moi qui suis restée impuissante à te réanimer, en larmes. Hoquetant au téléphone pour expliquer à notre vétérinaire ce qui venait de se produire, cherchant à comprendre.

Rabattre le coin ici.

Rabattre le coin ici.

Misha, après t'avoir sentie, réfléchi, puis t'avoir cherchée à nouveau à plusieurs reprises, a changé de comportement du jour au lendemain. Lui qui ne dormait jamais avec moi, le voilà qui s'est glissé sous la couette. Lui qui n'aimait pas mes genoux, le voilà devenu un vrai « pot de colle » qui tente d'occuper l'espace que tu as laissé.
On se console mutuellement, on essaie d'être braves, mais ton grain de folie et ton appétit de la vie nous manquent.

Maya, six années, c'est tellement court. Dans une vie d'humains il y a plusieurs vies de chats, je le sais bien, mais passé 80 ans, c'est trop violent de t'avoir vue partir sous mes yeux, j'en ai encore le cœur brisé…
Je sens ta présence autour de moi. Merci, ma jolie Maya…

Inspiré par
SIMONE SCOTT,
professeur retraitée

ZOÉ

Développer la médecine féline

Nous sommes nées la même année 1915, Joan Judd et moi, et avons consacré toute notre vie à notre passion commune, les chats. Pour qu'ils vivent mieux et en meilleure santé.

Rabattre le coin ici.

Rabattre le coin ici.

C'est la mort d'un de mes chats, en 1943, des suites du typhus (panleucopénie infectieuse féline), qui m'a poussée à devenir vétérinaire. À cette époque, il n'y avait aucun vaccin disponible pour les chats.

J'ai très tôt transformé l'étable de mes parents, dans le Connecticut, en hôpital pour chats, quand j'avais 10 ans ; j'avais même composé une marche funèbre pour les chats, que je jouais malheureusement trop souvent, c'est dire mon incapacité de l'époque à tous les sauver.

J'ai eu la chance de poursuivre mes études vétérinaires à l'Université de Cornell, d'où j'ai été diplômée en 1950. J'étais la seule femme de ma promotion ! J'ai consacré une grande partie de mon énergie à comprendre et à décrire la péritonite infectieuse féline dès 1962, cette maladie mortelle pour laquelle nous ne disposons toujours pas de traitement, plus d'un demi-siècle après cette description princeps. J'ai intégré à 35 ans l'Angell Memorial Animal Hospital à l'université vétérinaire de Tufts, à Boston, où pendant trente-six ans je me suis attachée à mieux comprendre les maladies des chats, pour les guérir.

Il ne s'est pas passé un jour de ma vie professionnelle sans une nouvelle curiosité féline. Avec les chats, on ne s'ennuie jamais, l'esprit et l'œil sont toujours en éveil !

J'ai décidé très tôt, en 1962, que les chats méritaient un ouvrage de référence en pathologie féline, dédié à mes *Angell patients*. Mon incurable perfectionnisme, que je revendique et assume, a permis la publication de cet ouvrage de 971 pages, la première bible du genre, en… 1987. Soit juste au début de ma retraite, pendant laquelle je n'ai cessé, jusqu'à ma mort, de lire toutes les publications scientifiques, désormais très nombreuses, sur la médecine féline.

Rabattre le coin ici.

Rabattre le coin ici.

Quand je me suis éteinte à 91 ans, c'était avec ma chatte Zoé à mes côtés, le même âge que moi à l'envers, 19 ans, en écoutant notre opéra préféré.

Moi qui n'ai pas eu d'enfants, je suis heureuse d'avoir été la maman de la médecine féline.

Continuez, les chats ont besoin de vous !

IN MEMORIAM, JEAN HOLZWORTH,
vétérinaire

CHIPETTE ET LES AUTRES

C'est comme Chat, la vie !

Moi qui angoissais de me retrouver sans chats à la retraite et de m'ennuyer, je consacre désormais mes journées à un petit troupeau de chats qui m'occupe à plein temps et m'a rendue philosophe. En prenant les chats et les gens comme ils viennent, du bon côté.

Rabattre le coin ici.

Rabattre le coin ici.

« L e plus beau de mes sept chats, c'est Émilie, ma fille ! »
Voilà le témoignage de mon fils, quand il parle de tous ses chats. Car je l'ai élevé avec des chats, bien sûr, mais pas plus de deux à la fois.

Adulte, mon fils a réussi à contaminer sa femme, qui n'était pas vraiment passionnée par les chats lorsqu'ils se sont rencontrés. Mais elle l'est devenue plus que nous, en dépassant un peu le sens du raisonnable.

Comme ils n'arrivaient pas à avoir d'enfant, elle a eu recours à la fécondation *in vitro* (FIV). Et bientôt chaque FIV qui était un échec de maternité devenait l'occasion d'acheter ou d'adopter un chat. Ce fut donc un, puis deux, puis trois et jusqu'à huit chats, qui sont venus dans ce foyer qui rêvait d'un enfant. Jusqu'au jour où, à la suite du décès d'Antharès, un chat norvégien sublime, de la péritonite infectieuse féline, ma belle-fille demanda son avis à sa vétérinaire avant d'en prendre un nouveau.

Sa vétérinaire lui répondit qu'elle risquait de compromettre radicalement l'équilibre fragile et remarquable auquel ils étaient parvenus avec sept chats, tous propres, vivant en bonne intelligence et même profonde affection dans un appartement. Elle n'a pas aimé cette façon de voir les choses, et lui a fait part de son mécontentement. Mais finalement, elle l'a écoutée et a renoncé à prendre un nouveau chat. Ce qui devait arriver arriva. Ma petite-fille est ainsi née!

Mais son arrivée ne les a pas empêchés de se séparer, et un beau matin, ma belle-fille a débarqué dans le couloir de mon appartement. Elle a sonné, j'ai ouvert la porte : elle avait les quatre grandes caisses de ses chats. Ils étaient sept : Adonis, Atlas, Ben-Hur, Berlioz, Bouba, Câline et Gribouille.

Rabattre le coin ici.

Rabattre le coin ici.

Elle nous a dit que c'était provisoire, le temps qu'ils trouvent un autre appartement.

C'était… il y a six ans. Ses chats sont sortis des caisses, ont regardé, sidérés… Ils ne sont jamais repartis, je me suis juste organisée ! Et mon fils – son ex-mari – est revenu aussi. Du jour au lendemain, ma vie a basculé. Je n'avais d'autre choix que de les accepter, tous, et faire en sorte que la vie reprenne au mieux.

Je venais de perdre ma Chipette d'un cancer aux mamelles dont j'ignorais à l'époque qu'il était induit par la prise de pilule (un véritable poison…).

Cette petite chatte attachante et câline a partagé notre vie pendant dix ans. Elle était très drôle et championne de sauts en hauteur ; elle nous ramenait de petites boulettes en papier comme un chien. J'étais son élue et elle montait sur mes genoux avant même que je sois assise. La nuit, elle dormait à mes côtés, vigile fidèle de mes rêves. Notre vétérinaire l'a euthanasiée à la maison – c'était la première fois qu'on me proposait une euthanasie à domicile – pendant ma pause de travail, entre midi et deux, ce qui avait été pour moi un soulagement profond. Un de mes chats avait agonisé auparavant à la maison et je ne voulais pas revivre cette horreur. J'appréhendais néanmoins la façon dont cela allait se passer et finalement tout a été fait en douceur, malgré le caractère bien trempé de Chipette. Je me souviens de tout, la neige qui tombait pendant qu'elle s'endormait sur mon lit. Je repense souvent aux gestes tout en douceur du vétérinaire déposant ma petite chatte en rond dans son panier. Je me revois sur mon vélo, repartant au travail : je pleurais mais en même temps, je me disais que c'était un cadeau qu'on lui avait fait. J'étais triste et apaisée à la fois, en paix avec elle et moi-même.

Rabattre le coin ici.

Rabattre le coin ici.

C'est bien plus douloureux de ne pas pouvoir accompagner son animal dans ses derniers instants. Et là je ne l'ai pas laissée, je suis restée avec elle jusqu'au bout.

Mon appartement me semblait bien vide, d'autant que je me suis retrouvée à la retraite et que j'avais peur de finir sans chat, c'était mon angoisse, mon cauchemar. Dieu m'a-t-il entendue ? Et exaucée au centuple ? Probablement !
Car je n'avais pas prévu d'accueillir un troupeau de chats, arrivés en force. Sept chats, une équipe de hand-ball au complet.

Je me suis vite organisée car on ne peut pas vivre sereinement en collectivité sans une discipline de fer. Et surtout, je suis devenue très philosophe. De toute façon, si on est contre eux, c'est peine perdue. Ils nous mettent vite au pli, donc je leur ai emboîté le pas.
La moquette est composée de dalles, et on peut les changer sans souci. J'ai fait sécuriser le balcon, avec des portes transparentes coulissantes d'où ils peuvent regarder tout.

Côté litière, je n'ai que deux immenses bacs, que je nettoie plusieurs fois par jour. Il n'y a jamais de mauvaises odeurs parce que je passe régulièrement enlever tout ce qui dépasse et pourrait déranger leur nez (et le nôtre !).

Mon appartement n'est pas immense, mais chaque humain a sa chambre dont les portes restent entrouvertes, pour que l'énergie et les chats circulent librement. La nuit, ils adorent être sur le lit de mon fils, qui reste leur maître. Comme il peut lire jusqu'à pas d'heure, ils adorent.

Je leur dois à tous d'avoir été les très rares êtres qui l'aient stimulé au moment où mon fils a plongé dans

Rabattre le coin ici.

Rabattre le coin ici.

la dépression. De la clinique, il m'en parlait. Son médecin l'autorisait même à revenir en permission pour les voir. Ils ont été le fil ténu qui relie un être à la vie et je leur en suis infiniment reconnaissante.

D'ailleurs les chats l'ont toujours reconnu, qu'il prenne ou non des médicaments, même quand il a été absent plusieurs mois. Ils ont été d'une fidélité exemplaire et ne lui ont pas fait l'ombre d'une remarque. Trop heureux d'être à nouveau tous ensemble, c'est tout.

Ils ont chacun leur tempérament et Dieu merci ne sont pas tous des chats de genoux, car sinon certains seraient malheureux ! Et ils ont chacun leur préférence. Ce sont eux qui nous choisissent, et pas l'inverse ! Par exemple, Câline a sa place attitrée sur le lit de mon fils, que tous les autres chats respectent, c'est elle qui a la préséance. Ensuite c'est à géométrie variable, mais ils ont chacun leur côté et changent de lit au cours de la nuit. Ça leur arrive d'échanger quelques mots de travers, mais ils se réconcilient à l'heure de la sieste, un moment qu'ils prennent très au sérieux. Ils savent qu'on dépose les armes si on veut bien dormir.

Mais ça leur arrive de jouer aux flics et aux gendarmes courant après le méchant, dont l'identité peut changer. L'un entraîne l'autre et ils font du sport, mine de rien. Chaque nouveau venu a été accueilli et ils se sont entraidés, comme Gribouille qu'on a surnommé « Paman », car il se laissait téter par Câline, au point d'en être tout irrité sur les mamelles !

Celui qui me donne finalement le plus de travail, c'est Noé, un chat roux tigré que j'ai recueilli en bas de l'immeuble, un chat de la rue, ancien SDF. Et qui doit se considérer comme l'entraîneur de l'équipe, le coach !

Rabattre le coin ici.

Rabattre le coin ici.

Il n'a peur de rien ni de personne, sauf… du pistolet à eau, alors que tous les autres répondent au doigt et à l'œil, avec bienveillance.

Mais j'ai toujours aimé les chats roux, donc je n'ai pas pu résister!

Inspiré par
MICHÈLE SELLIÈRE,
secrétaire médicale retraitée

CARDHU ET LES AUTRES

Mes trois *Tabby boys*

On peut être professeur de médecine féline et rester complètement perméable aux émotions de ses
patients. Même bardée de diplômes, Danièlle Gunn-
Moore est d'abord et avant tout une propriétaire
de chats, au cœur tendre et brisé, qui voit ses chats
vieillir avec autant d'amour que d'appréhension.

Rabattre le coin ici.

Rabattre le coin ici.

J'ai toujours aimé les *Tabby boys*, les chats mâles tigrés, et il fut mon premier.

En fait, il était croisé Persan, sa mère avait fugué et rencontré le parfait chat de gouttière. J'avais 6 ou 7 ans à l'époque ; ma sœur est rentrée de l'école avec ce chaton, qui s'appelait Minstrel à cause du si joli « M » dessiné sur son visage, d'un œil à l'autre.

L'éleveur n'en voulait pas car il avait un souffle au cœur. Minstrel dormait toujours avec moi, mais il n'a pas vécu bien longtemps. Il est mort en traversant la route, devant ma sœur…

À l'époque où Cardhu est arrivé, j'avais Talisker, une chatte Somali. Frank, mon mari, voulait un chat pour lui. C'était notre anniversaire de mariage, donc chacun son chat !

Cardhu est arrivé chaton, très gentil, timide. Il avait tout juste 7 semaines, et sa queue ressemblait encore à un arbre de Noël ! Avec des longs poils et une robe toute tigrée.

J'avais organisé les choses pour que Cardhu et Frank soient ensemble la nuit et que le lien entre les deux se mette en place rapidement. Mais Frank a un sommeil très lourd la nuit, donc Cardhu n'arrivait pas à le réveiller quand il voulait lui parler – il était si petit – et Cardhu a rapidement fait le tour du lit et… il est devenu mon chat !

Rabattre le coin ici.

Rabattre le coin ici.

l adorait qu'on le prenne dans les bras, il avait une façon bien à lui de miauler, de poser ses antérieurs sur vous et d'attendre qu'on l'attrape. Ensuite il mettait ses pattes autour de mon cou et restait là, sur ma poitrine, exactement comme l'aurait fait un bébé.

Cardhu était vraiment un chat fait pour moi. Il était très à l'aise en public. Je l'emmenais à l'école et l'installais sur mon bureau avec ses affaires, son panier et son Vetbed® (une couverture toute douillette, en peau de mouton synthétique). C'était comme au théâtre, il émergeait quand c'était son tour et je faisais mon cours en le caressant. Je lui disais ce qu'on allait faire, et il s'exécutait de bonne grâce pour montrer aux étudiants vétérinaires comment manipuler efficacement et respectueusement un chat : ouvrir la bouche, examiner les yeux, les oreilles, la bonne position pour faire une prise de sang, un prélèvement urinaire, ou mesurer la tension artérielle.

Il a développé une maladie rénale chronique doublée d'hypertension, et c'est vraiment lui qui m'a appris la gériatrie féline. Pas seulement en consultant les livres, mais dans la vie, au quotidien, en me montrant combien les chats âgés sont particuliers et différents.
Quand il s'est mis à miauler fortement (alors que sa pression artérielle était sous le contrôle des médicaments), la nuit ou même en plein jour, mon mari, qui est neurobiologiste et travaille sur cette maladie, a évoqué l'hypothèse d'Alzheimer.

C'est grâce à Cardhu que j'ai mené avec Frank, mon mari, une étude sur le sujet et découvert le dysfonctionnement cognitif félin.

J'ai alors compris à quel point un vieux chat avait besoin d'être sécurisé et d'avoir encore plus de repères. Cardhu était vraiment une crème de chat, toujours heureux et de bonne humeur ; mais quand il était perdu, il miaulait à fendre l'âme. Son monde rétrécissait à vue d'œil. Progressivement, il n'a plus voulu aller dans le salon et a terminé par ne plus vouloir quitter ma chambre, la cuisine et la salle de bains. Il s'était fait un nid dans mon placard à chaussures, sous le lit. Pour lui et son bien-être,

Rabattre le coin ici.

Rabattre le coin ici.

j'ai développé des trésors d'imagination. Je n'hésitais pas à aller sous le lit le rassurer quand il était perdu. Il ne voulait plus manger et boire que là, sous le lit. C'est au moment où j'ai proposé à mon mari d'y mettre le bac à litière qu'il m'a dit : « Stop ! »

Il n'a été mal que les deux derniers jours de sa vie et a été propre jusqu'au bout. On le voyait tenter de repousser ses démons et sa démence.

Je l'ai emmené à l'École vétérinaire faire des examens sanguins, qui ont montré une défaillance hépatique. À l'échocardiographie abdominale, il y avait une masse sur le foie dont j'ai espéré que ce serait un calcul biliaire. Il a été opéré dans la foulée, en ma présence et celle des étudiants – tous le connaissaient. Nous avons tous vu immédiatement que c'était une tumeur et… un désastre. Je ne pouvais pas le laisser se réveiller avec ça… mais une dernière fois je voulais le serrer dans mes bras, désespérément. Alors j'ai fait sortir tout le monde et l'ai pris une dernière fois dans mes bras, pour un très long câlin… C'était un chat tellement exceptionnel.

Je suis restée deux journées entières sans pouvoir aller travailler quand il est parti…

Rabattre le coin ici.

Rabattre le coin ici.

Scooby est venu à l'université car il souffrait d'une luxation bilatérale des rotules et devait subir une transposition de la crête tibiale. Il avait 18 mois à l'époque et était très mince pour un Maine Coon.

C'était poignant de voir ce grand chat si jeune et déjà handicapé. Je ne connaissais pas ses propriétaires car ils avaient consulté en chirurgie.

La première intervention n'a pas donné le résultat escompté, du côté droit. Chez le chat, c'est une intervention délicate. Ses propriétaires nous l'ont ramené car ils ne pouvaient pas faire la rééducation – qui consistait à le laisser enfermé dans une cage, à la maison. Scooby a donc été hospitalisé de nouveau.

La chatterie d'hospitalisation a une grande baie vitrée et il ignorait absolument tout le monde sauf moi. Dès que je passais et le regardais, il montrait de l'intérêt.

Scooby me regardait et je regardais Scooby, un patient pas tout à fait comme les autres. Le charme du Maine Coon est incroyable, même s'il était très timide. Et j'ai commencé à passer le voir régulièrement, d'autant qu'il est resté cinq mois hospitalisé. Ses interventions chirurgicales se sont bien déroulées.

J'ai eu besoin, pour sauver un chat fortement anémié, d'une transfusion, et Scooby, si grand et si beau, était le donneur parfait. J'ai appelé ses propriétaires, qui ont accepté, et Scooby, toujours aussi gentil, a accepté de devenir donneur de sang.

Il s'est assis devant moi, a tendu sa patte tout en me regardant, et nous l'avons prélevé très facilement.

Ses propriétaires sont venus le voir trois ou quatre fois, et je les ai enfin rencontrés. À chaque fois, Scooby me sautait dans les bras. Et j'essayais de le repousser pour qu'il aille faire des câlins à ses maîtres, mais rien n'y faisait… Il revenait toujours vers moi.

Quand il a été déclaré guéri, il est reparti chez eux.

Je les ai appelés deux semaines après, pour prendre de ses nouvelles et de leur petite-fille qui avait des problèmes d'asthme. Ils m'ont décrit Scooby comme un chat froid et distant, alors qu'ici c'était la crème des crèmes de chat : *Softest pudding of a cat* dans la langue de Shakespeare.

Rabattre le coin ici.

Rabattre le coin ici.

Ils m'ont rappelée peu de temps après pour me dire qu'ils devaient se séparer de Scooby – était-ce son tempérament, son allure ? Il n'était pas du tout typique pour un Maine Coon, avec une face plate, des grands yeux et un corps assez petit pour son âge. Il a terminé sa croissance à ses 3 ans.

Mon sang n'a fait qu'un tour, je leur ai proposé de le prendre ! J'ai mis une grande cage dans la voiture et suis partie immédiatement chez eux.

Dès qu'il m'a vue, il s'est précipité vers moi, et depuis on ne s'est plus quittés !

C'est la première fois de ma carrière – et la seule – que j'ai fait une chose pareille. J'ai vu des centaines et des centaines de chats dans ma vie, probablement des milliers, mais aucun n'a jamais fait ça.

Les propriétaires avaient un autre chat, très grand, plus jeune, qu'ils ne souhaitaient pas garder non plus et que j'ai embauché comme donneur de sang à l'école, Jerry (son vrai nom était Jéroboam).

Quand je suis rentrée à la maison avec les deux chats, mon mari était inquiet, mais seul Scooby est resté avec nous.

Une fois à la maison, il a fallu régler la question de son nom. Scooby, c'était juste impossible! Je me suis donc assise par terre avec lui et le livre des whiskies. Tous mes chats portent le nom d'un single malt car je suis écossaise;

Rabattre le coin ici.

Rabattre le coin ici.

et je lui ai proposé Glenlich, qu'il n'a pas aimé, et Mortlach, qu'il a accepté. Il a répondu tout de suite à son nouveau nom, voire à «Morth'» pour faire plus court, dans la vie courante. Quinze jours après, j'ai testé un «Scooby» pour l'appeler, il m'a fusillée du regard! Où avais-je la tête, voyons!

Mais vraiment Mortlach n'est pas du tout froid et distant. La nuit il dort sur moi, allongé de tout son long. Même Frank, mon mari, l'appelle *my teddy cat*, mon «chat en peluche».

Le Maine Coon est une race qui a besoin d'être en contact, de toucher tout doucement son humain de compagnie. La façon dont Morth' pose sa patte sur mon épaule et me regarde en fermant très doucement les paupières sur ses si grands yeux est tout simplement irrésistible. Mortlach est vraiment le grand amour de ma vie ! Il est venu travailler avec moi, comme l'avait fait Cardhu avant lui. Je ne peux plus le soulever maintenant, avec mes problèmes de dos, donc je m'assieds par terre et il vient me faire un câlin, en mettant ses pattes sur mon épaule, et il frotte son front contre le mien.

C'est au retour du congrès de l'ISFM (International Society of Feline Medicine) à Barcelone en 2012 que mon état de santé s'est dégradé au point que j'ai été arrêtée six mois.

C'était le monde à l'envers, Mortlach est devenu l'infirmier en chef et il ne voulait plus me quitter.

Maintenant que j'ai repris une partie de mes activités, c'est lui, l'expert en douleur. Quand je rentre le soir ou après un congrès, il sait exactement mon degré de douleur, sans que je n'aie rien à dire. Dès que je m'allonge, il est auprès de moi, collé. Sa façon de dire : « Je suis là, pas de souci. »

Il a 12 ans maintenant, une dysplasie des hanches et toujours une luxation de la rotule, avec beaucoup d'arthrose. Il prend ses médicaments à la cuillère sans problèmes. Quand il va disparaître, ce sera…
Ces gros chats tigrés ont une façon d'enrouler leur panache de queue pas seulement autour de votre taille, mais aussi surtout autour de votre cœur.

Vivre avec un vieux chat, c'est très différent comme expérience que de perdre un jeune chat dans la force

Rabattre le coin ici.

Rabattre le coin ici.

de l'âge, comme lors d'une péritonite infectieuse féline, sujet de ma thèse.

Plus je fréquente les propriétaires de chats âgés, plus je les comprends, les aime et prends plaisir avec mes patients félins. Prendre soin des chats gériatriques est un défi permanent; il faut s'adapter à leurs pathologies multiples. Plus ils vieillissent et plus ils nous sont attachés et sont attachants.

Dans les enquêtes, les propriétaires décrivent tous les problèmes quotidiens, mais quand on leur demande s'ils aiment plus ou moins leur chat maintenant, 95 % répondent plus!

Même s'ils nous réveillent la nuit en hurlant, s'ils urinent ailleurs que dans le bac. Ils restent et demeurent nos *Tabby boys* qu'on aime de tout notre cœur.

Inspiré par
DANIÈLLE GUNN-MOORE,
professeur de médecine féline à l'université d'Édimbourg, Écosse

Rabattre le coin ici.

Rabattre le coin ici.

Mlle MISTOUFLETTE

« Dans une vie y a pas de surprise, y a que des cadeaux », chantait Serge Reggiani*. Mistouflette a été celui de Marie pendant treize années, un ange gardien félin sans pareil qui la suivait et la devinait mieux que son ombre.

* paroles de Claude Lemesle

Mistouflette a déboulé dans ma vie un beau matin de l'été 2001. Déboulé est vraiment le terme, elle n'était à ce moment-là qu'une petite boule de poils de quelques centaines de grammes, mal fichue et la tête en vrac, conséquence d'une chute incontrôlée dans la gamelle du chien...

Au bout de quelques jours de soins intensifs et face au manque d'intérêt patent de ses propriétaires, il devint évident que cette petite chatte allait rester parmi nous quelque temps. De jour en jour, son état général s'améliorait et sa force de caractère s'affirmait. Quelques mois plus tard, une mascotte était née : Mistouflette régnait sur la clinique, son nouveau domaine.

Et elle m'a attrapée dans ses filets. Littéralement. Elle m'a pêchée, harponnée, tirée à elle. Tout en douceur, tout en finesse, comme seule une chatte est capable de le faire. Sans fourberie aucune mais avec une vraie détermination. Toujours là où je ne l'attendais pas : derrière une porte pour mieux me sauter dessus alors que j'arrivais les bras chargés de médicaments, juchée sur l'imprimante en tirant sur la feuille en train de sortir, la tête sous le robinet et les pattes mouillées pour bien dédicacer les papiers que je pouvais laisser traîner, assise sur le clavier du terminal de cartes bleues à l'accueil, ou encore à me narguer en faisant ses griffes sur le fauteuil... Mieux encore, elle était capable de se laisser enfermer dans un placard de ma salle de consultation et de pousser la porte pour en sortir à des moments peu opportuns.

Et, à côté de toutes ses petites facéties, Mistouflette était là pour moi. On aurait pu croire qu'elle me surveillait. Mieux, elle veillait sur moi. Sauf, bien entendu, quand elle avait décidé qu'une sieste s'imposait à son confort de vie. Mais nous avions nos codes, nos habitudes. Le matin, quelle que

Rabattre le coin ici.

Rabattre le coin ici.

soit l'heure à laquelle j'arrivais à la clinique, elle m'attendait, bien installée sur le comptoir de l'accueil. Et elle me saluait d'un roucoulement heureux avant de se précipiter dans mes jambes. Un chat devenait agressif lors d'une consultation et manifestait son désarroi par des feulements peu aimables, elle fonçait pour gratter à la porte et, si par malheur, la porte venait à s'ouvrir, elle se précipitait sur le chat en question pour tenter de me défendre. Cette chatte me faisait rire, un véritable petit bonheur.

Mistouflette était une reine, pas une princesse, mais une reine. Elle n'était pourtant pas bien jolie avec ses yeux de travers, elle était un peu trop grosse et pas très gracieuse. Mais elle était la reine de la clinique. Une présence quasi humaine, une personnalité haute en couleur. Elle aurait pu être tenancière de bar, ou peut-être même de maison close, on l'aurait appelée Mme Claude et elle aurait eu toute autorité sur ses sujets.

Cette chatte, je l'adorais. Elle a décidé de tirer sa révérence, son règne était fini, elle avait perdu de sa

Rabattre le coin ici.

Rabattre le coin ici.

superbe et elle-même aspirait au repos. Treize années au pouvoir, c'est beaucoup, même nos présidents n'en font plus autant! Mais je ne l'oublierai pas. Impossible.

MARIE ERHEL,
vétérinaire pour chats

MAMAÏ

Ami-ami à Miami Beach

La porte est toujours ouverte aux chats chez Helena, chats des rues et de la plage, mais un seul a fait battre la chamade à son cœur, Mamaï, un chat tout noir, expert en traduction de ses pensées.

Dans les années 1940, Miami Beach n'était pas aussi glamour que maintenant, et les rats y étaient nombreux ; on a fait venir des chats ratiers, plus efficaces que leurs alter ego canins. Ces chats très familiers, excellents chasseurs et très sociables, adoraient monter sur les voitures, se laisser caresser.

Ils ont réellement pris racine, tant et si bien qu'ils constituent aujourd'hui une véritable colonie. Pourtant, malgré les programmes de trappage et de stérilisation visant à les protéger, leur espérance de vie reste bien trop brève. Malheureusement, ici, les chats sont comme les hérissons en France, trop souvent écrasés par des voitures. C'est comme cela qu'a terminé Mickey, un de mes premiers chats qui était très amical. À sa mort, le monde s'est écroulé.

Sa mère, MamaZila, est revenue pour me consoler, en exhibant son ventre rebondi. Elle a eu la délicate attention de faire sa nouvelle portée sous l'escalier en bois devant chez moi. Et j'ai presque vu naître tous ses chatons, qui rapidement venaient me voir, me montaient sur les genoux. Mais ces cinq chatons n'ont pas plu à mon voisinage et encore moins le fait que je les aie rapidement adoptés,

Rabattre le coin ici.

Rabattre le coin ici.

pour les soustraire à la vie au grand air. J'en ai donné deux à une voisine cubaine, et en ai gardé trois, Soulibianca, Karim et Mamaï, le tout noir.

En Russie, on appelle souvent les chats du nom de « Khan Mamaï », l'émir de la horde d'Or du Moyen Âge.
Je n'adopte que des chats noirs car, aux États-Unis, ils sont encore considérés comme portant malheur, surtout en Floride. D'ailleurs, les refuges refusent de faire adopter des chats de cette couleur autour de la période de Halloween, car il y a trop de risques pour les chats noirs d'être utilisés de façon totalement monstrueuse.
J'ai élevé les trois chatons au biberon car MamaZila était repartie vivre sa vie et ils ont été tous trois très proches de moi, surtout Mamaï qui me rappelait beaucoup Mickey. Je ne suis pas du tout croyante, surtout en un dieu qui punirait celles et ceux qui ne sont pas conformes ! Mais j'aime beaucoup l'idée que Mickey, mon petit chat, soit un dieu ou un ange gardien, voire l'ambassadeur du dieu bouddhiste de la Compassion, le bouddha Guanyin, qui n'est ni mâle ni femelle.

Rabattre le coin ici.

Rabattre le coin ici.

Les Aztèques, dont je connais bien la culture, étaient très en avance sur les autres civilisations dans le respect qu'ils avaient des êtres vivants : ils avaient constitué un véritable zoo, au service duquel se trouvaient trois cents personnes, chargées du bien-être des animaux. Ils avaient un proverbe qui disait : « Ne maltraite pas ton chien, sinon tu n'iras pas au paradis » − car le gardien du paradis des Aztèques *est* un chien !

De tous mes chats, Mamaï est le premier à m'avoir initiée à la communication télépathique. Je ne peux pas dire qu'on se comprenait à demi-mot, car nous n'en avions pas besoin. Un regard nous suffisait, c'était un peu comme une onde électrique.

À tel point que, lorsque je l'emmenais chez le vétérinaire, il valait mieux que j'évite d'y penser, au risque qu'il soit tout de suite au courant ! De même, quand il était malade et que je devais lui donner un médicament : il ne fallait pas que je le formule en pensée, faute de quoi il se sauvait ! Alors je chantonnais dans ma tête en préparant le médicament.

Mamaï était vraiment un expert en communication, avec une façon bien à lui de me demander d'ouvrir la porte, de lui donner à manger. Lorsque je m'absentais pour mon travail plusieurs semaines, à mon retour il commençait systématiquement par me faire la tête, puis quelques minutes après c'était une fête extraordinairement exubérante. Il allait grimper dans les arbres, redescendre dans la joie de mon retour.

Après sa stérilisation, il a accédé au rang de « Top Cat », car il est devenu le plus gros chat de la maison et du quartier ! Pour la Saint-Valentin, quand j'étais seule, il venait me faire des câlins, à tel point que je l'avais rebaptisé mon « Valentin ».

Sincèrement, Mamaï m'a redonné espoir en la vie, au moment où j'en avais le plus besoin. C'est tellement bon de se sentir comprise sans avoir à parler… Mamaï a été un chat et en même temps beaucoup plus.
Il a été un compagnon, un confident, tout en restant un chat, avec son tempérament et ses défauts, notamment

Rabattre le coin ici.

Rabattre le coin ici.

une jalousie possessive redoutable. Ce n'était pas un chat poli, quand il avait faim c'était tout de suite, là et maintenant ! Un art consommé de me remettre dans la réalité, finalement !

Quand j'ai adopté des Maine Coons, Didi et Loulou, abandonnés par un *puppy mill*, ces fermes à animaux de compagnie américaines, j'avais demandé à ma voisine de me les apporter. C'est toujours mieux pour l'ego du chat résident ! D'un air de dire : « Moi, je n'y suis pour rien, c'est la voisine. » C'est un artifice de psychologie féline.
Dès qu'elle est arrivée avec les chats, Mamaï est sorti immédiatement par la fenêtre, drapé dans son indignation. J'en ai profité pour les nourrir, les accueillir, les caresser en attendant que Mamaï revienne et… comme au théâtre, je me suis aperçue qu'il était revenu par l'autre fenêtre et m'observait tranquillement dans mon dos. Pas dupe !

Bien sûr, j'ai mis sa possessivité et jalousie à rude épreuve car j'ai adopté d'autres chats, comme Momo, qui était la terreur du refuge et a très vite compris qu'il fallait faire ami-ami avec Mamaï pour vivre bien chez moi !

Et je ne peux pas m'empêcher de faire des câlins aux chats des rues et de la plage que je rencontre sur Miami Beach, et à ceux qui viennent jusqu'à mon jardin. J'ai remarqué que nous avons sur Miami Beach des chats gays – on les repère très vite car ils ne s'intéressent pas aux chattes, préfèrent câliner les mâles plutôt que de les affronter, et surtout ils n'urinent pas partout, ce qui leur épargne l'usage de leurs attributs, plus petits que les autres. Le chat idéal, car il n'arrose pas !

Rabattre le coin ici.

Rabattre le coin ici.

Comme Grison grisonnant, un chat gay chasseur de geais, qui est ainsi resté très longtemps aux alentours de la maison, et puis un jour il est entré et s'est installé après douze années de vie errante, sous l'œil circonspect de Mamaï, qui l'a toléré.

Mamaï m'a fait comprendre qu'en parlant vrai comme lui et ses potes de Miami Beach, on parlait toutes les langues, sans avoir besoin d'interprète comme moi ! Il a été mon bébé – petit, il tenait dans une seule de mes mains – et mon confident ; il reste mon petit cœur de lion de Miami Beach.

Inspiré par
HELENA SOLODKY-WANG,
interprète

NIFTY ET EONE

Rabattre le coin ici.

Rabattre le coin ici.

Faire adopter tous les chats de refuge

Peut-on être allergique aux chats et professeur de dermatologie vétérinaire ? Il n'y a pas de quadrature du cercle qui résiste à l'amour des chats !

Je travaille pour les colonies de chats, ceux qui vivent en refuge.

Et depuis les années 1990, je n'ai pas tout de suite fait attention aux symptômes qui étaient les miens et ont progressé avec les années.

Mon métier, c'est de m'occuper de la santé des chats; la mienne est certes importante mais, je n'y pense qu'après le travail! Donc comme beaucoup d'amoureux des chats, j'ai d'abord pensé que j'étais allergique aux détergents ménagers ou autres produits, jusqu'à ce que j'admette la réalité de mon allergie aux chats.

C'est d'autant plus compliqué dans mon métier que, même lorsque je me retrouve au laboratoire, sans chats, leurs poils sont présents partout dans nos prélèvements et mon travail de recherche.

Il a fallu que je passe quatre-vingt-dix jours en isolement avec mon mari pendant sa greffe de moelle pour que j'admette que l'absence de chats à mes côtés avait eu un effet positif sur mes symptômes.

Mon allergologue a beaucoup ri, car d'habitude ses clients accusent les chats et développent de l'asthme, alors que moi j'avais tout tenté pour les excuser.

Dans mon malheur, j'ai tout de même de la chance puisque les seuls symptômes que je présente sont oculaires ou cutanés – ma discipline! – mais aucun trouble respiratoire grave. Donc je gère ma sensibilité particulière avec des anti-inflammatoires locaux et je suis particulièrement vigilante, en changeant de vêtements après avoir été en contact avec les chats en consultation ou en hospitalisation.

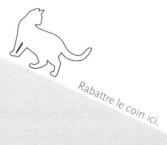

Rabattre le coin ici.

Rabattre le coin ici.

Mon tout premier chat, lorsque j'avais 4 ans, me détestait! C'était celui de ma mère, et il s'appelait Nifty, un Siamois atypique, comment dirais-je : « teigneux », en français. Il me terrorisait et m'intimidait. Il m'a plus que marquée car, non seulement il m'a griffée, mais il m'a aussi mordue !

En fait, ce n'est pas vraiment *un* chat en particulier qui a bousculé mon existence mais plutôt deux choses les concernant qui ont changé ma vie – et la leur.
La première est la maladie, la teigne. Celle-ci est l'un des freins à l'adoption de chat en refuge. Or la teigne est une maladie qui n'atteint que la peau, ne se multiplie pas dans la maison et pour laquelle on dispose d'un traitement. Les chats ne sont pas le réservoir de la maladie, donc il faut arrêter de les condamner.
Ce n'est pas une maladie honteuse et un chat guéri de la teigne est parfaitement adoptable.

Le déclic s'est produit quand j'ai rencontré les organisations de protection animale et les responsables des refuges pour chats. Ils sont pragmatiques, ils examinent les faits, les comprennent, posent des questions et prennent alors des décisions.

Rabattre le coin ici.

Rabattre le coin ici.

J'ai réalisé au cours d'une réunion que personne dans la communauté scientifique n'avait véritablement pris en main la question de la teigne. Au moment où j'ai demandé, étonnée : « Mais... personne ne s'en soucie ? », une vétérinaire a brandi un jeune chaton teigneux dans ses mains et a dit : « Lui, il s'en soucie ! Et cela nous tient à cœur, à nous ! »

C'est pour ce chaton, et pour tous les autres chats de refuge contaminés par la teigne, que je me suis intéressée à cette maladie.

Ma vie a été transformée par la rencontre entre cette maladie, la teigne et le monde des refuges. Ce petit chaton portait vraiment toute la misère du monde.

Tous nos chats de colonie ont toujours été adoptés après avoir participé à une étude dans notre laboratoire, c'est un principe.

Mais je ne me souviens plus pourquoi l'adoption de ce gros matou roux et blanc n'a pas été possible comme prévu. Alors je lui ai dit : « Tu viens à la maison, je ne te laisse pas ici ! »

Quand nous sommes arrivés tous les deux à la maison, mon mari nous a apostrophés… et puis il a fondu et capitulé. Nous l'avons appelé eOne.

Pendant la chimiothérapie de mon mari, nous avons dû le placer en famille d'accueil. Quand je suis retournée le chercher, il m'a dit : « Chez toi, j'étais eOne, mais regarde

ici, je suis tout seul, et je suis devenu eOnly. Et tu as beau être formidable, cette vieille dame qui m'a tenu compagnie depuis quatre-vingt-dix jours, elle est encore mieux que toi. Alors… si tu es d'accord, je reste avec elle ! »
Les chats sont comme ça ! Donc eOnly est resté chez cette adorable vieille dame.

C'est pourquoi je commence à anticiper l'arrivée d'un nouveau chat à la maison, surtout si je trouve une bonne solution d'immunothérapie pour moi.

Rabattre le coin ici.

Rabattre le coin ici.

Mais je ne suis pas inquiète car les vétérinaires ne vont jamais chercher un chat, parce qu'ils savent que ce sont les chats qui viennent les trouver !

Inspiré par
KAREN MORIELLO,
vétérinaire,
professeur de dermatologie à l'université du Wisconsin, États-Unis

GARFIELD

Mon alter ego d'ado

Grandir avec un chat, c'est passer de très bons moments et de fichus quarts d'heure, qui durent parfois trop longtemps quand la maladie vient frapper sans prévenir.

Rabattre le coin ici.

Rabattre le coin ici.

Ma première expérience avec un chat a été douloureuse. Quand mes voisins se sont séparés d'un chat qu'ils n'étaient pas en mesure de garder, j'ai été très heureux que l'on puisse l'accueillir. Mais Napoléon n'est resté que cinq jours. Durant ce court séjour, ma mère a développé, sans que je m'en rende compte, des symptômes d'allergie. Finalement, il a fallu le confier à quelqu'un d'autre. Certes, il s'est retrouvé en de très bonnes mains et nous n'avions pas le choix, mais à 12 ans, on ne voit pas les choses ainsi. J'en ai injustement voulu à ma mère pour ça.

Elle aussi s'en est voulu. Durant les mois qui ont suivi, toujours sans que je le sache, elle a fait beaucoup de recherches à propos des allergies aux chats. Peu avant Noël, elle est partie de la maison, comme si de rien n'était, comme pour faire les courses, et est revenue avec Garfield, ce British Shorthair bleu aux pattes courtes, au visage joufflu et aux couleurs de poils et d'yeux incomparables. Nous avons vécu avec lui près d'une décennie. Néanmoins, l'expérience précédente m'avait fait développer une forme de méfiance et peut-être même de rancœur

Rabattre le coin ici.

Rabattre le coin ici.

à l'égard de Garfield. « Est-ce qu'il va rester longtemps avec nous ? » avais-je dit le jour même par cynisme ou crainte. Durant les premières semaines, il me griffait et me mordait pour jouer et j'en concluais qu'il ne m'aimait pas. Mais ces a priori ont fini par s'effacer avec le temps.

Pendant la dizaine d'années que nous avons vécu ensemble, Garfield n'a jamais été considéré comme un objet mais plutôt comme un membre de la famille. Il fallait qu'il ait des cadeaux à Noël, sinon je culpabilisais. Et il partait en vacances avec nous, même dans des endroits où il était interdit d'amener des animaux de compagnie. Je me souviens notamment de la lettre que nous avions envoyée pour demander une exception pour notre « tout petit » chat à l'occasion d'un séjour en Espagne. Il lui arrivait aussi de partager nos repas.

Lors d'un repas de fête, je me suis levée pour aller en cuisine, Garfield s'est assis tranquillement à ma place et a terminé ma salade de pommes de terre aux cornichons malossol sans que mon mari, parfois distrait, ne s'aperçoive de l'échange…

Et tel un humain, il avait des manies, des exigences et des goûts, comme en atteste le « kiwi-gate », épisode où nous lui avons donné un pamplemousse à la place d'un kiwi, dont il raffolait. Son expression indignée était éloquente. *Pour les croquettes, il était intransigeant : il fallait qu'elles soient craquantes, ni éventées ni émiettées. Et pas question de changer la marque ! On avait eu, un jour, le malheur de ne pas racheter les bonnes croquettes. Il est resté trois heures devant l'écuelle, sans y toucher. Le siège de Stalingrad! Un talent efficace pour la négociation, puisque mon mari a fini par aller acheter les croquettes dont il raffolait le soir même.*

Ses exigences étaient culinaires, mais aussi artistiques puisque le free jazz le faisait fuir tandis que *Always On My Mind* d'Elvis Presley le faisait *systématiquement* se coller contre l'enceinte de la chaîne hi-fi.

Par ailleurs, Garfield semblait partager l'addiction des humains pour les téléphones : un soir, alors que j'étais dans une autre pièce, il a appuyé sur les touches de mon téléphone et a réussi à appeler quelqu'un. Garfield 2.0.

Rabattre le coin ici.

Rabattre le coin ici.

C'est fascinant, le pouvoir de conviction d'un petit être *d'à peine 4 kg, et une volonté à soulever les montagnes, car les chats savent ce qu'ils veulent, et nous font changer, sans aucune violence, tout en nous rendant heureux.* Garfield a surtout changé le regard de mon père sur les chats, qui n'y connaissait rien. Enfant, il n'avait jamais eu d'animaux, donc il partait de loin. Et c'est lui aujourd'hui le plus accro ! *Selon lui, ils sont toujours là quoi qu'il arrive, d'humeur égale. Ils ont une présence bienveillante et une capacité d'observation hors pair.*

On dit souvent que les chats sont plus indépendants et moins attachés à leurs maîtres que les chiens. C'est à mon sens une conclusion hâtive que l'on tire parce que les chats ne sont pas toujours démonstratifs en termes d'affection. C'est plus par pudeur que par indifférence. À tel point que c'en est cocasse de voir un chat exiger de l'affection sans pour autant vouloir le montrer.

Notre vie avec Garfield a aussi été marquée par la maladie. Cela a contribué à rendre la relation que nous avons eue avec lui plus intense et déchirante.

La maladie a été présente dès le départ. Lors d'un salon du chat que ma mère visitait, la sœur de Garfield lui a éternué au visage. Une « attention » qui a dû porter ses

Rabattre le coin ici.

Rabattre le coin ici.

fruits, puisque quelque temps plus tard Garfield arrivait chez nous. Comme sa sœur, il a été très vite frappé par un coryza, que les chats gardent toute leur vie. Mais l'éleveur s'était bien gardé de nous en parler, le jour où nous l'avons récupéré. Lorsque plus tard ma mère le lui a fait remarquer, il a proposé que l'on procède à un échange, comme s'il s'agissait de remplacer une télé au service après vente de la Fnac. Inacceptable.

Durant les derniers mois de sa vie, Garfield a été atteint d'un lymphome contre lequel il a mené dignement un douloureux combat. La dégradation, notamment physique, qu'il a vécue a été très dure pour lui et pour nous.

Mon regret est de lui avoir fait subir les contraintes d'une hospitalisation pour des examens d'où il est ressorti avec la confirmation d'un diagnostic de maladie incurable et avec les pattes rasées (pour la pose des cathéters). Pas un poil n'a repoussé. Les chats sont des animaux très dignes, très propres et qui soignent beaucoup leur apparence, ce qui a dû représenter une grande souffrance pour lui. J'aurais aimé que les soins qui lui ont été apportés soient plus respectueux de ça. J'aurais voulu que la situation soit regardée par le corps médical avec plus de psychologie, que l'on nous aide à mieux comprendre ce qu'il traversait et ce qu'il pouvait ressentir.

Dans le cas d'une maladie grave telle qu'un cancer du système immunitaire, qui implique une perte des sens, fait souffrir et provoque des dégradations physiques, il me paraît important de penser aux conditions de vie de l'animal malade. Un être humain en fin de vie et/ou gravement malade a parfois encore la possibilité de lire, de regarder un film, d'échanger avec des proches, etc. Pour les animaux, les possibilités se limitent plus vite. Je regrette l'absence d'une charte pour évaluer de manière objective la qualité de vie d'un animal afin d'aider le propriétaire à décider de continuer ou d'arrêter les soins. Vu l'impossibilité de dialoguer avec un animal, se reposer sur quelque chose de plus objectif pourrait être d'un certain secours.

Rabattre le coin ici.

Rabattre le coin ici.

Nous avons cru longtemps à sa guérison, presque jusqu'au bout, et nous nous sommes battus. Nous nous levions la nuit pour lui donner à manger, l'aider à boire, l'emmener aux toilettes. Ma mère et moi, nous nous soutenions afin de tenir le coup. Nous essayions de voir un espoir à la moindre petite amélioration de son état. Il a été très difficile de prendre la décision d'arrêter les soins. Je pense qu'il a été prêt avant nous. Et j'aime m'imaginer que le dernier soupir que je l'ai vu rendre était un soupir de soulagement et de reconnaissance.

Garfield a complètement changé mon rapport à la maladie. Cette expérience a été une leçon dans la mesure où j'ai la sensation d'avoir moins de certitudes qu'avant, et je ne sais toujours pas quelle est la meilleure chose à faire.

Il paraît qu'avec le temps on s'habitue à la beauté, que le quotidien la rend ordinaire. Je ne suis pas d'accord. Elle m'a surprise et émerveillée chaque jour avec Garfield, qui avait des moustaches d'une grande élégance. C'était une « crème » de chat, toujours gentil, très attachant, jamais caractériel. Un chat exceptionnel.

PHILIPPE SLIWA ET SA MAMAN
(Le texte de Philippe est en romain
et celui de sa mère en italique.)

Rabattre le coin ici.

Rabattre le coin ici.

O'NELL

L'ancêtre de la lignée

Au tout début d'un élevage félin, il y a la « première », celle qui est racine de l'arbre généalogique que l'on construit patiemment, arbre sur lequel O'Nell a mis sa griffe, indélébile.

O'Nell, c'est une « pâte au lait », une crème qui a marqué toute ma lignée de chats, celle qui m'a formatée. Une G5 bis pour parler technique : son père était également son grand-père. Je sais, nous les éleveurs avons pour nos chats des arbres généalogiques qui donnent le vertige. Mais c'est comme *chat*. Dans la nature, les chats ne nous disent pas non plus tout ce qu'ils font !

Son éleveur me l'a amenée de Liège, en Belgique. Elle avait vraiment un caractère exceptionnel. Il lui fallait un câlin avant de manger et ce, dès le premier jour : elle m'a sauté dans les bras le matin au réveil dans la cuisine. Faire un câlin précédait tout petit-déjeuner ! Rituel qu'elle a enseigné à toute sa descendance – qui perpétue la tradition – pour mon plus grand bonheur quotidien.

J'emmenais O'Nell partout car elle présentait très bien. Une seule fois, je crois, elle a eu quelques mots peu aimables envers un juge, mais elle aimait vraiment le

Rabattre le coin ici.

Rabattre le coin ici.

monde et la compagnie. Elle n'aimait rien tant que de voir arriver des amis, d'être au milieu de la foule dans une exposition.

Mais surtout elle aimait avoir des chatons et a eu sa dernière portée à 8 ans. C'était vraiment son bonheur et la façon dont elle les mettait au monde, avec une facilité déconcertante, le prouvait. O'Nell a été une merveilleuse reproductrice, qui a eu 24 bébés, comptant actuellement plus de 59 descendants.

Sa dernière portée l'a beaucoup fatiguée et il a fallu penser à sa retraite professionnelle qui est, pour la chatte comme pour l'éleveuse, un moment très particulier. Donc je l'ai fait stériliser. J'aurais bien aimé la garder à la maison. Mais il était très clair qu'elle ne souhaitait pas rester avec moi – ni avec sa descendance – lors de sa retraite. Je l'ai très vite compris. Elle avait fait son boulot, avec un plaisir certain, mais c'était fini.

D'autant qu'elle avait attaqué sa sœur qui avait trois ans de moins qu'elle. Tia était exceptionnelle aussi ; elle savait avant que je ne pleure que j'allais mal, et venait immédiatement me faire un câlin. Puis O'Nell a attaqué une de ses filles que j'avais gardée. Au cas où je n'aurais pas compris ce qu'elle avait en tête !

Rabattre le coin ici.

Rabattre le coin ici.

Quand un chat vous signifie qu'il veut prendre congé, on n'a plus qu'à s'incliner et lui rendre sa liberté, aménagée bien sûr. Avec les chats, on ne peut pas dessiner de plan de carrière, ce sont eux qui décident, qui ont le dernier mot ! Surtout les chattes ! Je lui ai alors proposé de la placer et… elle a dit oui.

J'avais pourtant écrit dans mes dernières volontés de mettre un terme à sa vie s'il m'arrivait malheur. Fusionnelles comme nous l'étions, je ne l'imaginais pas heureuse sans moi. Elle m'a non seulement montré mais enseigné le contraire! O'Nell a donc pris sa retraite paisiblement chez des amis, où elle a vécu une relation fabuleuse et également fusionnelle avec sa nouvelle maîtresse. O'Nell était particulièrement atteinte du syndrome de la fille unique, le « moi toute seule », d'une possessivité qui va avec la fusion affective. Elle a donc été heureuse comme une princesse dans sa nouvelle vie. Lorsque je la rencontrais, c'était bonjour-bonsoir, comme si nous n'avions jamais vécu ensemble…

Pour elle, ça a été le bonheur absolu, car les chats ne sont pas faits pour vivre en couple ou en collectivité. Ou alors avec beaucoup d'espace, ce qu'on ne leur offre pas toujours. Mais certaines adorent faire des petits et voudraient en faire bien avant la date à laquelle maintenant la loi les y autorise. Une chatte en état de reproduire qu'on frustre, c'est… indicible! C'est tellement individuel, sensible, un chat.

On n'autorise pas les reproductrices à faire selon leurs envies, et c'est bien le *hic*. Il faudrait être plus à l'écoute des véritables dispositions et envies des chattes en reproduction.

L a retraite d'O'Nell m'a pincé le cœur, car ce fut ma première rupture, mais pour la bonne cause : elle avait bien mérité ce repos et cette tranquillité que lui offrait son nouveau foyer.

J'aurais pu déprimer, mais cela ne s'est pas produit. D'abord parce que j'avais d'autres choses à faire et d'autres chats à… « fouetter ». Mais aussi et surtout parce que j'étais en

Rabattre le coin ici.

Rabattre le coin ici.

fait apaisée qu'elle soit bien sans moi, même si nous avions vécu un amour fou, une relation totalement fusionnelle. O'Nell m'a fait comprendre beaucoup de choses, à distinguer d'« apprendre » comme on le fait à l'école. Elle a éveillé ma conscience à des domaines que je ne pouvais soupçonner : une relation fusionnelle peut s'arrêter sans souffrance, qu'on soit chat ou humain. Les sentiments sont forts, mais ne durent pas toujours toute la vie ; ce qui importe, c'est d'être heureux, ensemble ou séparément. Il faut savoir respecter un fonctionnement différent du nôtre, c'est une grande leçon de tolérance. Les chats ont tant à nous apprendre...

Inspiré par
ALYSE BRISSON,
éleveuse d'Abyssins
www.alysepagerie.net

Rabattre le coin ici.

Rabattre le coin ici.

ICATCARE

Le chat, un patient à part entière

Nous sommes nées la même année 1915, Jean Holzworth et moi, et avons consacré toute notre vie à notre passion commune, les chats. Pour qu'ils vivent mieux et en meilleure santé.

Je suis née en Nouvelle-Zélande, et mes parents et moi sommes arrivés en 1919 en Angleterre. Ils élevaient des chevaux et des chiens dans la campagne de Gloucestershire où j'ai passé toute mon adolescence, et y suis restée.

Les chats étaient considérés comme de la vermine, utiles à l'étable pour tuer les souris. Heureusement, pas chez mes parents et grands-parents, où les chats tigrés trouvaient le chemin de mon lit et y étaient les bienvenus ! Mais à côté du spectacle émouvant et joyeux des chatons jouant dans l'étable ou les champs de blé, je me souviens avec horreur de la façon dont ils étaient ensuite massacrés, leur tête arrachée et leur petit corps jeté sur les toits sans vergogne… Ce qui, à l'époque, était une méthode considérée comme plus humaine que la noyade dans un seau.

C'est probablement là que j'ai commencé à vouloir prendre soin d'eux et rêvé de devenir vétérinaire. Ce rêve s'est brisé avec la crise économique de 1929.

Le destin a ses facéties, et ce fut une bonne chose pour les chats, que j'ai aidés autrement.

Mes deux premiers chatons siamois, offerts par mon mari, m'ont fascinée au point que je suis devenue éleveuse.

J'ai toujours été avide de savoir, d'informations scientifiques à mettre en pratique, à partager avec mes collègues. Dans les

Rabattre le coin ici.

Rabattre le coin ici.

années 1940 et 1950, nous manquions d'informations sur les maladies des chats et les soins à leur apporter. C'était vraiment le parent pauvre de la médecine vétérinaire. Imaginez que nous n'avions aucun médicament spécifiquement conçu pour eux. Comment les soigner sans moyens ?

J'ai donc commencé à contacter des scientifiques, à organiser des conférences pour les éleveurs félins et, en 1958, j'ai fondé le Feline Advisory Bureau (FAB), qui est « une œuvre de bienfaisance dédiée à promouvoir la santé et le bien-être des chats par une meilleure connaissance des chats et des soins à leur apporter ».

Le FAB a pris en charge, dès les années 1960, des études de chercheurs vétérinaires sur les maladies infectieuses des chats, à Bristol notamment.

Ce ne fut pas un long fleuve tranquille, mais je suis particulièrement fière d'avoir pu fêter les 50 ans de mon plus beau bébé, le FAB devenu iCatCare, et qui, depuis 1996, a développé une branche vétérinaire, l'International Society of Feline Medicine, dont le dynamisme planétaire me fait chaud au cœur.

Rabattre le coin ici.

Rabattre le coin ici.

De là où je suis, je peux lire les messages sur leur liste de discussion internet et je vois combien tous les vétérinaires passionnés par les chats remuent ciel et terre « pour mieux les comprendre, mieux les soigner et donc mieux les aimer »*.
Continuez, les chats ont besoin de vous !

IN MEMORIAM, JOAN JUDD,
éleveuse

*Emprunté à feu Fernand Méry, vétérinaire français.

UNE PATIENTE FÉLINE

Quand le cœur lâche

Rabattre le coin ici.

Rabattre le coin ici.

La biologie n'est pas une science exacte et lorsqu'un accident survient, lors d'un acte chirurgical notamment, la trajectoire du vétérinaire peut s'en trouver modifiée. On n'oublie jamais le chat dont le cœur s'est arrêté sous vos doigts impuissants...

J'avais 26 ans, j'étais une toute jeune véto et très heureuse d'être praticienne, d'accomplir enfin mon rêve d'enfant. Je me partageais entre différentes structures vétérinaires et travaillais régulièrement dans une clinique.
Bien sûr, à l'École vétérinaire, on nous avait parlé un peu des accidents anesthésiques, mais sans nous y préparer vraiment. Et quand par malheur un tel accident survient, cette situation est à l'opposé de toutes les raisons pour lesquelles on a fait ce métier.

Quand ça m'est arrivé, ce dont je me souviens le plus, c'est l'émotion évidemment. Même si je savais que j'avais fait tout ce qu'il fallait, et donc que je n'avais rien à me reprocher, j'étais très mal devant cette chatte dont le cœur s'était arrêté de battre au beau milieu de la chirurgie de convenance, et qui refusait de repartir...

Rabattre le coin ici.

Rabattre le coin ici.

À ce moment précis, il y a un décalage d'une violence absolue entre tout ce qui nous a poussé à être vétérinaire et ce que l'on vit. Même si on n'a fait aucune erreur, on n'est pas fier, c'est un grand moment de solitude. On porte non seulement le poids du drame qui vient de se passer mais aussi celui d'avoir à l'annoncer au propriétaire...

Tout s'est très mal enchaîné ce jour-là, et je comprends totalement la colère du propriétaire.

En effet, je ne l'avais pas rencontré le matin – la procédure dans cette clinique déléguait à l'assistante le soin de réceptionner les patients. C'était mon patron qui lui avait donné le rendez-vous opératoire, sans visiblement le prévenir qu'il serait absent ce jour-là car il suivait une formation professionnelle.

Quand je n'ai pas pu réanimer la chatte, j'ai immédiatement cherché à joindre le propriétaire, mais aucun numéro de portable ne figurait dans le dossier. Or je voulais lui parler en direct, ne pas laisser un message sur son répondeur qui allait être d'une brutalité totale. Quand son épouse est venue le soir pour reprendre sa chatte, elle ne savait rien. Et l'assistante l'a interpellée : « Vous êtes venue ? vous ne savez pas que… ? » L'horreur absolue pour elle, je me mets à sa place.

Je ne me souviens plus pour quelle raison je ne l'ai pas vue non plus à ce moment-là. Est-elle venue tard en fin de journée, à une heure où j'étais repartie ? Toujours est-il que la première fois que j'ai rencontré le propriétaire, ce fut en chambre de discipline au conseil de l'Ordre.

Il y a eu un an entre l'accident d'anesthésie qui a conduit au décès de cette petite chatte et ma comparution devant l'Ordre, à la suite de sa plainte.

Mon patron avait évidemment été peiné de la situation, mais ne m'en avait pas voulu – il était arrivé ce qui devait arriver, je n'avais pas réussi à la réanimer, les accidents médicaux font partie de la vie professionnelle. Même si nous ne sommes pas préparés aux accidents de chirurgie ou d'anesthésie, ni aux conséquences juridiques.

Rabattre le coin ici.

Rabattre le coin ici.

Lors de l'enquête qui avait été diligentée, j'ai mesuré la violence de la procédure, même si la conseillère a été particulièrement attentive à ne pas rajouter de stress à mon gros blues. Cela m'a beaucoup secouée. J'étais toute jeune, des rêves plein la tête de pouvoir enfin me dire : « J'y suis, je pratique. » Passer de l'école qui vous forme à l'exercice de votre vocation et se retrouver devant le tribunal, c'est... vertigineux, même si c'est un fonctionnement tout à fait normal. Et chaque étape de la procédure de plainte du client (dont je comprends et la colère et le chagrin) n'a fait qu'en rajouter.

Car, parmi les praticiens, personne ne parle jamais de ses échecs, personne ne se vante des drames, et je pensais que cela n'arrivait qu'à moi.

La conseillère ordinale m'a dit des paroles qui m'ont fait beaucoup de bien : « Ce sont des choses qui arrivent aussi à d'autres... »

Le jour de la comparution en chambre de discipline, mon patron n'est pas venu. Ça ne m'a même pas choquée. Je crois qu'il a pensé que c'était l'affaire des assurances, qui régleraient.

Je suis venue seule et j'ai expliqué, devant les conseillers ordinaux et le propriétaire, ce qui s'était passé, ce que j'avais fait et mon impuissance à la réanimer.

Rabattre le coin ici.

Rabattre le coin ici.

Je ne peux pas dire que c'est le décès de cette jeune chatte qui m'a fait renoncer à mon désir d'exercer. En première année véto, on nous avait dit que moins de la moitié d'entre nous seraient praticiens. Et j'avais bien ri, en me disant que je ne ferais pas partie de ceux qui exerceraient autrement qu'en clinique l'art vétérinaire. Je ne me suis pas dit : « J'arrête », et j'ai d'ailleurs continué à exercer un moment, mais inconsciemment, c'est à partir de cet instant-là que je me suis ouverte à toutes les possibilités qu'offre le diplôme de vétérinaire, autres que celles de praticienne.

J'avais toujours aimé tout ce qui tournait autour du médicament. Et pour rester près de mon compagnon, j'ai accepté un remplacement dans l'industrie vétérinaire, pour quelques mois.

Une première fois, puis une seconde fois. Et en découvrant cet univers du médicament vétérinaire, je me suis rendu compte que c'était là que je voulais vraiment travailler. Et j'y suis restée.

Cette jeune chatte, dont le décès prématuré m'a beaucoup affectée, a éclairé quelque chose en moi et modifié ma trajectoire professionnelle, en me révélant une facette de ma profession que je n'aurais sans doute pas envisagée si vite, et où j'ai trouvé ma voie.

Inspiré par
CATHERINE,
vétérinaire

TOTO  LA TERREUR

Mon double

Quand le chat devient votre double, avoir recours à l'écriture est sans doute une échappatoire utile et un excellent remède à la mélancolie.

Rabattre le coin ici.

Rabattre le coin ici.

Tous les chats qui m'ont accompagné ont eu une immense importance, même si leur « fonction », si j'ose dire, fut diverse. Cléo, une petite chatte noire au long pelage recueillie dans une ferme, a éveillé en moi une propension déjà bien présente à ouvrir mes antennes vers l'imaginaire ; Bidule, son fils, était la tendresse même. Avec Pacha, Chartreux sauvé par ma grand-mère d'un sort peu enviable dans une cour parisienne, les relations étaient cordiales, mais plus amusées qu'affectueuses.

Le temps passa. Une nuit de brouillard, alerté par des cris provenant du bois, j'y découvre un chaton de 3 semaines, noir et blanc, le bout des pattes blanc, les yeux encore bleus. En l'apercevant me revient en mémoire un rêve où Cléo me disait que je n'aurais jamais à chercher un chat et que je le trouverais exactement dans les circonstances que je viens de décrire. Je me saisis du chaton, qui se laisse faire, sachant aussitôt que le bonheur entrait une fois encore dans ma vie.

L'arrivée de chacun de mes chats a occasionné cette sensation très forte, mais cette fois-ci, je sentais qu'il y avait un tour de magie dans cette apparition et que ce chaton allait m'apporter quelque chose de nouveau ; le futur allait me le prouver. Vu la façon étrange dont il

Rabattre le coin ici.

Rabattre le coin ici.

était apparu nuitamment dans ce bois nappé de brume, je le baptisai Méphisto. Le diablotin qu'il était se montra si drôle, inventif et épuisant qu'il devint presque aussitôt Toto la Terreur, surnom qu'il s'employa à mériter tout au long de son existence ! Le tout petit chaton aux yeux bleus devint (merci, papa chat haret !) un chat colossal aux yeux d'or, une force de la nature. Peut-être est-ce son côté rassurant qui m'a aussitôt conquis. Peut-être étais-je aussi plus à même de profiter d'une relation exceptionnelle avec

Toto parce que mes chats précédents m'avaient ouvert à cette communication si particulière, non verbale mais tellement expressive, si l'on veut bien prendre la peine (c'est plutôt un plaisir) d'ouvrir les yeux et les oreilles et de se placer sur la même longueur d'onde que le chat.

La complicité avec Toto était inouïe. Il me suivait partout, s'endormait contre moi, après avoir placé une de ses pattes, qu'il avait immenses, grande ouverte dans le creux de ma main ; il partageait mes repas, certaines de mes occupations, dans le jardin ou à la maison, venait surveiller mon travail, adorait voyager en voiture, et le peintre Bernard Vercruyce, qui le prit pour modèle, peut témoigner que Toto jouait avec la souris de mon ordinateur – ça ne s'invente pas ! Devant les invités, Toto accomplissait des tours. Le plus classique ? Je tendais un bras à l'horizontale. Toto bondissait, encerclait mon avant-bras de ses deux pattes et restait suspendu, goûtant le plaisir de se voir admiré.

Quoi de plus éloquent que les méandres du comportement félin ? Et comme on comprend vite à quel point le chat réagit en fonction de notre propre réactivité! Il commença très tôt. Toto, chaton perpétuellement affamé, grimpait en criant le long de mes jeans, dès qu'il me voyait préparer à manger. Je trouvais cela plutôt rigolo, mais les femmes de la famille trouvaient bien moins amusant de sentir un chaton griffu escalader leurs collants comme une araignée! Dès que nous passions à table, le chaton rugissant bondissait et essayait de se saisir de tout ce qu'il pouvait. La mort dans l'âme, je pris la décision d'enfermer le petit Toto dans une autre pièce à l'heure des repas. Il se mettait alors à pousser des hurlements sans commune mesure

Rabattre le coin ici.

Rabattre le coin ici.

avec la taille d'un chaton. Au bout de quelques séances qui nous « fendaient le cœur », je résolus de lâcher Toto, une fois le repas sur la table. Que croyez-vous qu'il arriva ? Toto s'installa sur une chaise vide en bout de table, puis, délicatement, adopta une position qui lui permettait, debout sur la chaise, de s'accouder sur le bout de la table. Quand un aliment le tentait, il levait une patte inquisitrice vers moi et prenait sagement ce que je lui offrais. L'arrivée du plateau de fromages devint vite une attraction qui amusait la famille et sidérait les invités. Il suffisait de placer le plateau devant lui pour voir le chat lever une patte, puis la tendre immanquablement vers le fromage de chèvre, son favori ! Toute sa vie, Toto la Terreur partagea les repas familiaux sans jamais plus bondir sur la table, mais en tenant sa place avec un bonheur évident sur sa chaise de chef de famille…

La sociabilité de Toto la Terreur prenait parfois un tour cocasse. Toto prenait spontanément l'initiative du contact. À l'époque, je faisais chaque semaine la navette entre Paris et la Normandie. En rentrant dans la capitale, je prenais à un moment la rue du Montparnasse, pour tourner sur le boulevard et arriver à la maison. Au feu tricolore de la rue du Montparnasse, deux dames d'un certain âge, toujours blondes et pimpantes, faisaient, sur le trottoir, le métier que l'on devine et attendaient

Rabattre le coin ici.

Rabattre le coin ici.

le client à ce point stratégique. Apercevant au feu rouge un homme seul au volant, elles me gratifièrent aussitôt d'un sourire aguicheur et d'un coup de tête allusif. Toto, assis sur le siège du passager, comprit le message à sa manière. D'habitude, quand il voulait qu'on lui ouvre, il frottait la surface qui était pour lui un obstacle — porte ou fenêtre — du plat de la patte : le message était clair. Se tenant sur les pattes arrière, mon bon Toto fit donc son plus éloquent jeu de patte avant sur la vitre de la voiture à l'attention des péripatéticiennes : les deux femmes se confondirent aussitôt en sourires maternels et en propos attendris. Toto s'était fait deux copines de plus et moi j'étais passé du statut de micheton potentiel à celui d'ami des bêtes ! Désormais, à chacun de mes passages, les deux admiratrices de Toto guettaient leur matou dragueur et on se lançait un bonjour amusé. Qui dit mieux ?

De là à donner la parole à ce chat dont les mimiques et les traits de comportement étaient d'une constante invention, il n'y avait qu'un pas, ou une patte, que je franchis sans y penser. Ma seule préoccupation, dans cet exercice d'anthropomorphisme, resta toujours de ne pas dénaturer, dans la mesure du possible, ce qui fait la personnalité complexe du chat. Toto, tout en jouant avec moi sur le papier une comédie sophistiquée à deux voix, n'était dans mon esprit ni un enfant ni une sorte d'hybride déguisé en félin, juste un chat qui découvrait avec gourmandise le monde des mots et pouvait enfin dire ce qu'il pensait à son humain de compagnie, même ce qui, éventuellement, ne lui faisait pas plaisir à entendre.

Toto la Terreur devint pour le public le chat qui parle, certes, et il le fit à travers quatre livres entièrement dialogués : *Parole de chat!*, *Plus chat que moi…*, *Les Mots de Toto*, *On m'appelle Toto la Terreur!*, un roman, *Méphisto vit toujours à Venise*, et un nombre considérable de chroniques dans le magazine *30 millions d'amis*. Dans la vie, je lui parlais aussi, comme j'ai toujours parlé aux animaux. Ses réponses silencieuses étaient pour moi suffisamment éloquentes. Toto devenait mon double professionnel, me tenait compagnie dans une galerie où je dédicaçais mes (enfin ses…) livres, faisait le cabot devant les caméras de

Rabattre le coin ici.

Rabattre le coin ici.

393

télévision, accueillait les photographes et la presse et recevait un abondant courrier, comme la star qu'il était devenu. Mais il restait pour moi un chat, un vrai chat que j'adorais pour sa présence tonique, affectueuse, farceuse et inspiratrice, un chat quelque peu caractériel qui pissait sur mes bouquins quand il n'était pas d'accord avec moi, croquait mulots et oisillons à ma grande horreur, pourchassait sa fille Mélusine pour essayer de lui faire subir les derniers outrages (bien qu'il fût opéré!), partait à la chasse avec sa sœur Minette, disparaissait des nuits entières dans les bois pour ma plus grande inquiétude, bref, c'était un vrai chat apportant un parfum très vif de la vie sauvage entre les murs où il avait accepté de vivre en ma compagnie. Je crois, cela dit, que tous les efforts que j'avais accomplis pour éveiller son intelligence et son sens de l'adaptation contribuèrent à faire de lui un compagnon exceptionnel. Le terrain était certainement très fertile; j'en avais tiré parti et Toto aussi. Tous les chats ne sont pas logés à la même enseigne : Minette, sa sœur tigrée de la même portée, ne se laissa jamais approcher, pas plus que Mélusine, la fille qu'elle eut de Toto dont elle était le portrait craché. Quelques jours avant de disparaître, à près de 15 ans, Mélusine vint pourtant spontanément s'installer sur mes genoux. Je demeurai pétrifié, de peur de rompre le charme. Le chat, cet animal incroyablement adaptable…

Rabattre le coin ici.

Rabattre le coin ici.

Dans les moments difficiles de la vie, Toto la Terreur me montra à quel point un chat peut aider à garder le cap et à ne pas sombrer. Dépression, deuil, Toto m'obligeait à rester debout. Il fallait le nourrir, m'occuper de lui… et par ricochet de moi aussi. Toto fut victime d'un cancer fulgurant, à 13 ans et demi, ce qui n'est pas un grand âge pour un chat, mais peut-être avait-il brûlé trop intensément ses neuf vies ? Quand le vétérinaire posa le diagnostic, il était déjà trop tard et nous décidâmes d'un commun accord d'abréger aussitôt.

Des années après, je ne sais pas où et comment j'ai trouvé la force d'affronter tout cela seul. La foudre me serait tombée dessus que je n'en serais pas resté plus hébété de chagrin et d'horreur. Un ami médecin m'appela ce jour-là pour me dire qu'un chaton noir et blanc avec le bout des pattes blanc était né au même moment chez une de ses patientes. Je pris le nom de la jeune femme et adoptai ce minuscule Oscar, parce que c'était la vie qui continuait, une sorte de roue qui ne s'arrêtait pas et que, malgré mon chagrin, ce clin d'œil du hasard me plaisait. Oscar, *alias* Kiki, est tout le contraire de Toto, mais il en va toujours ainsi. Jamais deux fois le même! Et c'est tant mieux.

Pendant plusieurs années, seuls ma famille et quelques proches furent au courant de la disparition de Toto, qui resta un secret. Je ne voulais ni ne pouvais en parler à d'autres. La plaie restait béante. Je continuais chaque mois à écrire ma chronique à deux voix, trouvant toujours dans les faits et gestes de mes autres chats de quoi m'inspirer. Je ne pense pas qu'il y avait là quelque chose de morbide, mais il se trouve que c'était pour moi la seule façon de supporter cette perte intolérable. J'avais placé Toto dans le monde des mots, il continuait à y vivre, devenant désormais pour de bon un personnage de fiction, qui faisait sourire ou émouvait un grand nombre de lecteurs. Les mots : c'est bien ce qui fait la différence entre la perte d'un être cher et celle d'un animal. Dans les deux cas, le traumatisme est immense, mais avec le chat (ou toute autre espèce, bien sûr), l'absence du langage rend la douleur plus vive encore. Avec l'humain, il y a eu un dialogue, on s'est dit qu'on s'aimait et l'écho de ces paroles agit comme un baume. Avec le chat, il y a ce silence terrible.

Rabattre le coin ici.

Rabattre le coin ici.

Minette disparut un an après Toto. Quand Mélusine mourut à son tour, je me mis en quête d'une petite chatte dans le voisinage et Mina vint se joindre à Oscar. Mina, belle tigrée normande, est une affective. Elle fuit dès qu'elle entend une voix étrangère (et Dieu sait qu'elle a été parfaitement socialisée!) et n'aime que moi. Avec ces deux compagnons incarnant l'un la malice et le mouvement, et l'autre la tendresse, j'ai retrouvé des présences et un équilibre nécessaires à ma vie d'écrivain et d'éditeur, très souvent solitaire par la force des choses. Les années ont passé. Des lectrices me téléphonent, m'écrivent encore pour me parler de Toto. Pour moi, il est devenu une sorte de divinité féline tutélaire, une étoile filante qui a bousculé mon existence et m'a obligé à me concentrer sur l'écriture. Dire qu'il ne me manque pas serait mentir. J'ai toujours la sensation de le sentir, proche de moi, à un détour de mon jardin, caché au milieu du fouillis végétal. Toto la Terreur n'était certainement pas un chat comme les autres pour me faire sortir de moi-même à ce point.

Je suis redevable à tous les chats qui ont croisé mon chemin depuis l'enfance et à Toto la Terreur, en particulier, d'avoir débridé mon imagination, déjà bien éveillée, au point de rendre nécessaire le recours à l'écriture pour survivre ; de m'avoir appris que la beauté et l'élégance n'avaient pas d'âge ; de m'avoir enseigné que le silence

Rabattre le coin ici.

Rabattre le coin ici.

pouvait aussi être une bénédiction et une source de force et d'épanouissement ; de m'avoir rendu plus attentif à mes semblables, surtout lorsque la parole leur fait défaut, qu'il s'agisse d'enfants handicapés ou de personnes très âgées. Mon œil de chat est à même de m'aider à les comprendre, à les rassurer. Le chat, un médiateur et un maître pour qui sait voir et écouter.

La morale de l'histoire ? Un jour de doute et de chagrin où je disais à un médecin qu'il allait peut-être falloir que j'apprenne à vivre sans chat, cet homme subtil me répondit : « Pourquoi voulez-vous vous priver de quelque chose qui vous fait à l'évidence tant de bien ? »

ROBERT DE LAROCHE,
longtemps journaliste et producteur de radio, il se consacre à présent uniquement à l'écriture et à sa maison d'édition, La Tour Verte (www.latourverte.com), basée en Normandie et qui comporte bien sûr une collection vouée aux chats dans la littérature et les arts.

CHIPIE

Fidèle présence à mes côtés

Seize ans, c'est une tranche de vie pour nous humains, c'est toute une vie de félin, pleine de bienveillance et d'amour que Chipie a donné sans compter, sachant les choses sans rien demander.

Rabattre le coin ici.

Rabattre le coin ici.

Elle était à peine sevrée quand celui qui allait devenir le père de mon fils l'a recueillie, dans un champ. C'était un petit chaton et elle m'a légèrement devancée, en prenant ses marques dans son appartement. Son arrivée a presque coïncidé avec notre mise en ménage, peu de temps après. J'ai vraiment été sa maman, et dès les premiers instants notre complicité a été très forte.

Nous nous sommes vraiment trouvés, tous les trois. Nous avons joué à cache-cache dans cet appartement, Chipie et moi, son jeu préféré, avec une joie partagée.

Nous avons ensuite emménagé dans une maison dont elle n'a jamais exploré le jardin. Était-ce d'avoir vécu ces quelques années en appartement, d'avoir gardé du champ où elle avait été trouvée un traumatisme irréversible? Toujours est-il que la maison est devenue son royaume, et les parties de cache-cache se sont poursuivies de plus belle. Je criais comme une enfant, surprise, lorsqu'elle me trouvait. Et elle partait alors se cacher.

Lorsque je suis tombée enceinte, j'ai dû m'aliter très rapidement et les six mois passés au calme sans bouger nous ont encore plus rapprochées. C'était incroyable de voir à quel point elle identifiait les moments où j'avais

Rabattre le coin ici.

Rabattre le coin ici.

mal et comment elle venait contre moi. Elle le sentait et me portait immédiatement assistance. J'ai découvert à ce moment-là, dans ma douleur, les joies de la ronronthérapie, vibrante.

Savait-elle que j'allais devenir maman ? Elle m'a couvée comme une mère pendant que je me préparais à le devenir. Je l'avais souvent dans les bras et nous passions de longs moments ensemble. Elle a été, à ce moment comme souvent, ma seule présence réconfortante.

L a naissance de mon fils ne l'a pas contrariée, bien au contraire. Patiente, allongée à côté de lui, elle l'a veillé comme elle a veillé sur moi.

Elle a suivi les hauts et les bas du couple que je formais avec mon mari, et elle a été la petite personne proche de moi, toujours présente ; elle savait quand je pleurais, elle a toujours été là, à ronronner, fidèle.

E lle a vécu ainsi jusqu'à 16 ans. Un jour, elle s'est mise à tourner en rond, du sang est apparu dans un de ses yeux. Le vétérinaire a diagnostiqué une tumeur cérébrale qui provoquait des épisodes intermittents de surpression, très douloureux lorsqu'ils se produisaient ; elle poussait alors des miaulements déchirants, qui pouvaient durer longtemps. Il n'y a que dans mes bras qu'elle était mieux, et s'apaisait. Elle y a passé des heures entières.

Malgré son traitement médical, elle avait des crises qui se sont intensifiées et m'ont fait prendre des jours de congé pour rester avec elle. J'ai organisé son lieu de vie en mettant le bac à litière dans ma chambre, ainsi que ses écuelles. De crainte qu'elle ne se blesse en sautant sur mon lit, j'ai même mis le matelas à même le sol. Ses moments de rémission étaient de plus en plus brefs et sa souffrance chaque jour plus grande. Mon mari était opposé à l'idée d'une euthanasie tout en ne voulant pas assumer le quotidien des nuits ; j'étais exténuée par le chagrin autant que par l'assistance que je lui assurais. Mais je ne voulais pas la lâcher.

Jamais en seize ans elle ne m'avait lâchée dans les coups durs ; elle avait toujours été là pour apaiser mes chagrins et me faire rire aux éclats en jouant à cache-cache.

Rabattre le coin ici.

Rabattre le coin ici.

Je lui devais de l'accompagner jusqu'au bout.

J'ai fini par obtenir de mon mari son accord pour apaiser les souffrances de Chipie. Le vétérinaire a eu la gentillesse de venir à domicile et Chipie s'est endormie dans mes bras. J'avais mis mon fils chez des voisins, pour lui épargner cette épreuve.

Quand le vétérinaire est parti, j'ai gardé Chipie dans mes bras, longtemps... Je ne pouvais me résoudre à ce que ce soit fini, même si j'avais bataillé pour apaiser ses douleurs. C'est quand son petit corps s'est refroidi que j'ai repris mes esprits et suis allée prendre sa couverture préférée dans laquelle nous l'avons ensevelie, mon mari et moi, dans notre jardin. C'était en février. Nous avons expliqué à notre fils que Chipie ne serait plus là, et il a tout de suite demandé, du haut de ses 5 ans, si elle était au ciel...

Chipie n'est pas seulement au ciel, elle est gravée dans ma mémoire en lettres capitales, et elle est là toujours aujourd'hui, autour de moi, fidèle présence réconfortante. Elle m'a donné plus de vie que je ne lui en ai apporté, sans jamais rien exiger en retour. Elle a été la preuve vivante que les animaux ont une bienveillance et un amour compassionnel qui dépassent ceux de certains êtres humains.

C'est elle qui a changé le plus de choses dans ma vie, avec ses grands yeux verts de manga, remplis d'amour. Elle a été le chat parfait.

Rabattre le coin ici.

Rabattre le coin ici.

Inspiré par
KATY TEIXEIRA,
coordinatrice qualité

MYAKA

Une passagère clandestine

Au milieu du tourbillon familial, au cœur de mon adolescence, Myaka a été celle qui m'a ouvert la porte sur de nouveaux horizons. Cette passagère clandestine a trouvé la clé des cœurs et... des champs !

Mon beau-père ne voulait pas de chat supplémentaire à la maison car nous avions déjà celui de la famille. Ainsi, quand maman a trouvé ce chat martyrisé par des enfants (dont les parents étaient pourtant psys) qui avait besoin d'aide, je l'ai mis en sécurité chez mes grands-parents maternels, bien heureux d'avoir un chaton chez eux. Je me souviens de cette petite boule de poils blancs, aux moustaches brûlées, qui se planquait, terrorisée par ce qu'elle venait d'endurer et que je n'ai jamais réussi à imaginer.

Puis je l'ai cachée chez mon père, car je savais qu'il la laisserait venir à lui, qu'il avait le bon comportement avec les chats, lui qui a toujours eu des chiens.

Je voulais tenter de sauver Myaka, la réconcilier avec le genre humain, lui prouver que nous n'étions pas tous des sauvages.

Grâce à Myaka, je suis allée voir mon père beaucoup plus souvent à l'époque! Mais il voyageait encore beaucoup, donc j'ai tenté le tout pour le tout : j'ai rapporté

Rabattre le coin ici.

Rabattre le coin ici.

Myaka en douce à la maison avec la complicité de ma mère et de ma sœur.

Ma chambre était au second étage et, comme Myaka était très peureuse, il n'y avait quasiment aucun risque qu'elle soit repérée par mon beau-père. Il lui a bien fallu neuf mois pour s'apercevoir qu'il y avait une passagère féline clandestine dans sa maison... Il faut dire que Myaka a une touche magique : une façon bien à elle de s'aplatir au sol en faisant la crêpe, de telle sorte qu'elle se fond entièrement dans le décor et passe inaperçue. Elle fusionne avec le sol en mode sioux ! Son autre technique est de passer comme une tornade – un éclair blanc.

Et comme mon beau-père est très bruyant, et fumait la pipe à l'époque, tout ce que Myaka a toujours détesté, elle avait suffisamment d'indices pour ne pas pointer le bout de son nez quand le terrain était miné.

Dès son arrivée, elle et moi avons eu un autre complice en la personne de Diablo, le chat roux tigré de la maison. Lorsque tout était calme, dans ma chambre, au second, Myaka s'enhardissait à venir sur mon lit chercher des câlins. C'est là qu'elle a très vite croisé Diablo, qui l'a prise sous son aile, un peu comme un grand frère. L'alchimie a été immédiate entre eux deux ; je crois même qu'elle en a été amoureuse. Toujours est-il que Diablo lui

Rabattre le coin ici.

Rabattre le coin ici.

a permis d'aller mieux, l'a prise par la patte et a réussi à lui faire descendre les deux escaliers et, mieux, découvrir le jardin.

C'était beau de la voir se détendre, s'aventurer dehors et guérir doucement de sa phobie des humains.

Myaka a été découverte par mon beau-père le jour où elle s'en est prise à ses fauteuils en cuir. J'ai tenté de lui mettre des protège-griffes, très élégants, mais ça n'était pas facile car elle n'aimait pas les contraintes. Donc je ne lui en ai posé, en tout et pour tout, qu'une seule fois. Elle restait craintive, toujours sur le qui-vive, surtout avec mon beau-père, sa bête noire.

Le seul chat qui ait jamais plu à mon beau-père se nommait Mystère : il avait déboulé il y a très longtemps puis était reparti comme il était venu, sans qu'on sache qui il était, d'où son nom. Il « parlait » beaucoup, ce qui plaisait à mon beau-père.

Pourtant, la mort de Diablo a été un drame pour toute la famille, y compris pour lui, bien qu'il n'ait pas voulu l'avouer. Mais pour Myaka, ce fut pire : elle l'a cherché partout et a déprimé. Elle a complètement perdu ses repères : Diablo était son grand frère, son roc. Elle a commencé à aller dans le jardin et à y rester.

Un soir, elle était tellement en colère contre mon beau-père qu'elle a fait ses besoins sur le canapé, à *sa* place. Ce qu'il n'a senti qu'après s'être assis dessus, la « chose » restant collée sur son séant… La colère qui a suivi a décidé de tout, en lui indiquant la porte.

J'ai dû me résoudre à exfiltrer *sine die* Myaka chez mes grands-parents paternels, à la campagne. Je suis partie avec mon père et ma sœur en voiture et je n'arrivais pas à lui parler durant le trajet tant j'avais le cœur gros. Je l'aban-

Rabattre le coin ici.

Rabattre le coin ici.

donnais, alors que j'avais voulu la sauver, la réconcilier avec notre humanité, et je me comportais comme les autres…

Aujourd'hui, Myaka se la coule douce à Charavines, avec les vaches et ses nouveaux amis chats, dont un sosie de Diablo (mais avec beaucoup plus de poils), un gros chat roux très sympa. La sœur de ma grand-mère ayant une fromagerie, il y a toujours des croûtes de fromage à se mettre sous la dent (en plus du reste !).

Je n'ai pas encore réussi à la revoir, mais je ne désespère pas d'arriver à croiser ses grands yeux bleus dans sa fourrure blanche et à pouvoir lui parler.

Son départ m'a ouvert à d'autres horizons car moi qui avais toujours accepté l'interdiction faite par mes parents de militer dans des associations à vocation humanitaire, je me suis finalement tournée vers celles qui protègent les animaux. Ainsi, je me suis engagée auprès de Handi'chiens : c'est une belle association qui éduque des chiens, ravis de rendre service à des handicapés qui en ont besoin. Je donne également un peu d'argent à la SPA, qui a malheureusement encore beaucoup trop de pensionnaires.

En voyant Myaka partir dans le champ, libre et heureuse, j'ai eu le déclic. Moi aussi, j'ai quitté la maison aujourd'hui, et je suis bien là où je suis.
J'ai grandi avec elle, et je garde le souvenir très tendre d'une petite boule blanche apeurée, où ont mûri de grands yeux bleus pleins de tendresse.

Je suis certaine qu'à l'heure qu'il est, elle file le parfait amour (platonique) avec un O'Malley, elle, la Sioux urbaine !

Inspiré par
AMBRE-CLÉMENTINE COLLIAT,
assistante de direction

Rabattre le coin ici.

Rabattre le coin ici.

CHÂTAIGNE

Bienvenue sur la planète Chat !

On ne peut pas bien soigner les chats avec sincérité, tant qu'on n'a pas vécu avec l'un d'entre eux. La vie à leurs côtés est une expérience indispensable à tout vétérinaire.

Châtaigne a profondément changé ma vie en ce sens, qu'enfant, j'ai eu des chiens et, qu'adulte, je n'aimais pas les chats. Ce qui peut sembler paradoxal, j'en conviens, pour un vétérinaire.

Je ne les aimais pas tout simplement parce que je ne les comprenais pas. C'est en les soignant que j'ai commencé à mieux les connaître. J'ai pu observer alors toute la subtilité de leur comportement, qui permet de mieux les comprendre. Mais cela restait une approche purement professionnelle, vétérinaire.

J'en ai soigné beaucoup qui m'ont attendri, touché, mais l'empathie d'un vétérinaire, aussi sincère soit-elle, ne permet pas de s'approcher de la réalité des chats.
Ce n'est qu'en vivant au quotidien avec Châtaigne que j'ai découvert un monde que j'ignorais totalement. Un monde

Rabattre le coin ici.

Rabattre le coin ici.

que j'ai commencé à aimer, au point qu'aujourd'hui je ne conçois plus la vie sans chat.

Au-delà de la compréhension du comportement, j'ai pu mesurer au jour le jour leurs variations d'humeur, et leurs subtilités, ainsi que les modes de vie qu'ils s'appliquent à eux-mêmes et vous imposent – c'est en cela que c'est très féminin, les chats !

J'ai beau être vétérinaire, bien connaître la physiologie et la médecine de cet animal singulier, je n'ai pu comprendre la relation unissant le propriétaire et son chat que lorsque je le suis devenu moi-même.

Cela m'a permis aussi, à partir de ce moment, de commencer à apprécier les auteurs qui ont écrit sur le chat. On peut croire qu'ils font dans la surenchère, comme Colette par exemple, mais une fois qu'on est soi-même propriétaire de chat, on s'aperçoit qu'ils décrivent vraiment la réalité de la relation de proximité qu'on peut avoir avec cet animal, sans exagération.

C'est grâce et pour mes filles que Châtaigne est arrivée à la maison. L'animal est un des liens et des liants familiaux par excellence, le ciment même. Elle a été le premier chat de la famille, suivie par un King Julian, *so british*, qui soigne son look! Un QI de joueur de foot, mais le physique d'athlète qui va avec.

Une Chartreuse, c'était mon choix, une chatte avec beaucoup de personnalité, donc je ne peux pas m'en plaindre! Châtaigne est une vraie Dauphinoise que je suis allé chercher dans la neige et le Vercors, une entrée en scène auréolée de flocons.

Contrairement à tout ce qui avait été écrit et promis par l'éleveuse, le chaton n'avait pas toute l'aisance et la familiarité prévues. Elle n'était ni la plus jolie ni la plus facile en caractère de la portée. Elle est restée cachée durant les deux premiers jours, au grand dam de la famille. Et le cheminement mutuel – d'elle qui nous découvrait et de nous qui entrions dans son monde – s'est fait graduellement.

Même si le côté invasif et envahissant d'une Chartreuse au caractère bien trempé (pour rester poli!) n'est pas de tout repos, je ne l'ai pas regretté. Ceux qui ont un chat à l'extérieur se privent du plaisir de ne pas dormir. Avec un chat d'intérieur, 5 heures du matin, c'est un peu tôt pour être réveillé! Même avec la truffe mouillée sur la joue. Châtaigne monte sur ma tête, me pétrit le ventre en plein milieu de la nuit, fait cinq tours sur le lit pour trouver l'endroit le plus confortable… Clairement, le chat n'est pas un bon somnifère.

Et le lendemain, quand on est stressé par le manque de sommeil, elle récupère, en étoile de mer dorsale sur le tapis, les quatre pattes en l'air. Et vous fusillant du regard si on a le malheur de s'approcher. Pas question de la déranger pendant qu'elle se repose, bien sûr ! Ce serait un crime de lèse-majesté !

Et ce n'est pas toujours facile de partager son clavier et sa souris avec la demoiselle qui n'a pas sa pareille pour occuper l'espace entre les objets et moi. La tête sur ma main, pour m'empêcher de travailler : ce n'est pas une légende ! Et c'est le début des négociations pour savoir quelle place elle va me laisser sur mon bureau. Tant qu'on ne l'a pas vécu, on croit que c'est une caricature, mais c'est la vérité la plus élémentaire, on se retrouve très vite à habiter chez eux. Les bandes dessinées de *Simon's Cat*, c'est *chat*, très exactement !

Châtaigne a l'art de nous faire renoncer, malgré nous, aux habitudes auxquelles on tenait et qu'on s'était toujours promis de ne pas abdiquer. Elle ne supporte pas les portes fermées, qu'elle considère comme une offense. L'air de rien, un chat qui ne se laisse rien imposer, en impose avec un naturel si désarmant qu'on change en douceur. Je suis passé d'un état de défiance vis-à-vis des chats à un état de quasi-dépendance, en ce sens que je ne me verrais plus avoir des chiens. Je préfère maintenant le comportement du chat, son côté désobéissant, voire complètement contradictoire – mais quand on vit avec une femme et deux filles, on est habitué. Les chats veulent toujours l'inverse de ce qu'on voudrait leur imposer!

Elle n'aime pas qu'on la prenne dans les bras pour la mettre sur les genoux, ni y venir toute seule. Mais… il suffit qu'il y ait quelqu'un de nouveau – un homme notamment – pour qu'elle saute d'elle-même sur ses genoux! Toujours là où on ne l'attend pas.

J'ai remarqué que le chat s'attache particulièrement à éduquer les adultes, alors qu'avec les enfants il a une bienveillante tolérance. Châtaigne nous oblige, sans aucune violence, à nous adapter à elle. On cache les fruits à la cuisine, sinon tout est mâchouillé le lendemain matin dans la coupe à fruits ! Elle adore les avocats, le melon n'en parlons pas, les pêches, les brugnons…

On ne peut percevoir les changements subtils qu'elle induit qu'en vivant avec elle. C'est-à-dire, plus exactement, en vivant chez elle !

J'avais l'habitude de demander à mes clients lorsqu'ils prenaient un chaton s'ils avaient bien changé le libellé sur la boîte aux lettres, pour indiquer que c'était lui désormais qui était le maître des lieux.

Mais je n'aurais pas pensé être si heureux de devenir l'un de leurs semblables !

Inspiré par
JEAN-CHRISTOPHE VULLIERME,
vétérinaire

MOSCA LE CHAT

Une bienveillante balise

Une envie de chat, là, maintenant, sans savoir pourquoi, qui m'aime comme je suis, et stabilise mon
monde si changeant de décors.

Dans ma famille, nous avions deux chiennes et un chat. Quand j'ai volé de mes propres ailes, je me sentais indépendant, un peu comme *Le chat qui s'en va tout seul*, de Kipling.

Pourquoi, soudainement, le désir de la compagnie d'un chat s'est-il imposé? Je n'en sais rien. Il est arrivé dans mon existence à l'automne 2007, à un moment où, après plusieurs films, je débutais au théâtre dans *L'Autre*, la pièce de Florian Zeller.

C'était au Studio des Champs-Élysées, un lieu envahi par le souvenir du grand Louis Jouvet. Mon matou s'appelle Mosca, comme le serviteur dans *Volpone*.

Au début, j'ai rêvé à un chat de compétition, un Norvégien, peut-être ? Mais, finalement, cela ne correspondait pas à ce que j'attendais : un chat sans race, comme celui de mon enfance, un rescapé de la SPA.

Il était là, au refuge de Gennevilliers où j'ai bien failli ne pas me rendre, de peur de ne pas supporter la vision de tous ses frères abandonnés.

Au refuge, à peine sorti de sa cage, il s'est blotti dans mes bras, confiant. Il était fait pour moi et moi pour lui. Un coup de foudre réciproque.

Le « Pacha » de la SPA est devenu mon Mosca. En italien cela signifie la « mouche », en arabe « minou » se dit *mouch*. Ce nom lui va comme un gant : Mosca est entièrement moucheté sur fond blanc.

Mosca, c'est ma balise, mon chat aimant, toujours fidèle, l'esprit de mon foyer. Je sais qu'il m'attend derrière la porte et mon retour chez moi prend tout son sens.

À peine rentré, mon premier geste est de soulever Mosca à hauteur de mon visage. Il frotte son front contre le mien, plusieurs fois, délicatement. C'est notre câlin rituel. Le soir, autre moment de complicité, il rampe sur mon lit pour une voluptueuse séance de grattage de dos.

Mosca est vraiment le chat qui a transformé ma vie. J'ai du mal à le quitter, à tel point que, parfois, quand j'ai un jour de libre sur un tournage, je reviens de loin, juste pour lui, et pour qu'il ne soit pas seul dans Paris, ne serait-ce qu'une nuit. Son omniprésence a tout changé. Quand j'ai raconté mon histoire, par accident − écrire n'est pas mon métier − il m'a aidé, en ronronnant sous mes yeux, à supporter cette aventure difficile.
Ce chat philosophe a une patience d'ange. Sans doute est-ce le goût du changement qui caractérise le Verseau que je suis? Il me prend souvent l'envie de tout changer chez moi. Plusieurs fois, j'ai tout refait dans l'appartement. Son œil curieux me regardait mettre les meubles sens dessus dessous, lessiver, peindre les murs, bouleverser ses habitudes et son odorat, sans manifester la moindre contrariété.

Mosca a senti, dès son arrivée chez moi, que ma vieille table et ma commode méritaient d'être respectées. On a signé un pacte, lui et moi. Il ne touche pas aux meubles, mais il fait ce qu'il veut de SON fauteuil en cuir. Mon chat et moi, nous sommes « tout ouïe ». Les sons nous parlent. Nous aimons la musique. Cela nous met tous deux en résonance. J'aimerais que Mosca apprécie davantage les morceaux de Bach ou de Mozart que je joue au piano. Mais il préfère le son d'une guitare sèche.

Ni ténor ni baryton, Mosca a toujours été du genre silencieux (sauf un petit miaulement pour dire merci après avoir mangé sa barquette). Mais, quand il n'a plus entendu le son de la guitare, il a pleuré longtemps derrière la porte, attendant son retour.
Pour le consoler je l'ai caressé, je lui ai lancé ses balles, ses souris. Cela m'a aidé à supporter mon propre chagrin. Mais il a suffi qu'il change de décor et parte en vacances – ce qu'il adore – pour qu'il ne pleure plus.

Dans le regard de Mosca j'existe vraiment à chaque instant. Miroir fidèle, mélancolique ou joyeux, il prend la couleur de mes émotions. Et parfois, d'un regard brillant, il me rend heureux, malgré tout.

Discrètement, Mosca a changé ma vie. Il compte sur moi. J'en suis entièrement responsable et cela me donne le sentiment d'être utile. Est-il là surtout pour moi ou pour la main qui le nourrit? Je ne le saurai jamais et cela n'a aucune importance.

Attentif, confiant, tendre, il est celui qui me rassure dans ce monde inquiétant. Il est le chat que j'aime et qui est toujours là.

Inspiré par
STANISLAS MERHAR,
acteur

Un chat dans la gorge

Dans les yeux de mon chat
Je lis
Son désespoir de toi
Qui as fui

Dans les yeux de mon chat
Je vois
Mon miroir,
Seul, sans espoir

Dans son regard
Mon chagrin se noie
Et nous rêvons tous les soirs
De toi
Qui ne reviendras pas

Ainsi va la vie
Ainsi sont nos nuits
Orphelines de ta petite musique
Si tendre à nos oreilles

Dans sa voix
Qui miaule devant la porte
Je perçois
Son chagrin
En écho au mien

Dans sa voix
J'entends enfin
Ouvre la porte
Aux amis
À l'amour, à demain

ANNE-CLAIRE GAGNON

MILORD

Un chat sur mesure, au diapason!

Se priver du plaisir d'avoir un chat parce qu'on a passé l'âge? En voilà une drôle d'idée. C'était sans compter Milord, qui adore l'opéra et s'asseoir à la table du petit-déjeuner le matin...

J'ai été installée pendant vingt-huit ans comme vétérinaire praticienne en homéopathie. J'ai été chiens, oiseaux puis chats. Et, durant toute ma vie professionnelle, j'ai expliqué à mes clients âgés que, passé 70 ans, il fallait être raisonnable et ne pas reprendre d'animal.

Ce que j'ai pourtant fait moi-même, arrivée à l'âge de la retraite.
Je suis célibataire et, bien que j'aie eu Plick et Plock, mes

muses félines qui m'ont aidée à écrire mon livre *Soigner son chat par les médecines naturelles*, je me suis organisée sans chats, avec des activités diverses et variées.

J'ai monté une maison de production de théâtre, les productions du Chinchilla, avec Nathalie Juvet, metteur en scène : nous avons réalisé ensemble la pièce *Dracula, mon histoire* au Théâtre de la Huchette, et je me suis arrangée de-ci de-là pour garder les chats d'amis.

Un jour, j'ai été appelée par deux confrères qui voulaient que j'intervienne pour manipuler une chienne, une Cairn, ce que je ne faisais plus.

Mais je ne pouvais pas leur refuser ce service et j'y suis donc allée. Pendant que j'étais à genoux en train de manipuler cette petite chienne, que je connaissais bien et aimais beaucoup, j'ai senti qu'on m'attrapait les cheveux par-derrière… J'ai levé la tête et vu un chat de 5 mois qui me regardait.

C'est à ce moment-là que j'ai entendu la voix de l'aide-soignante vétérinaire derrière moi dire cette phrase merveilleuse : « Regardez, docteur, il vous aime déjà ».

Quand j'ai eu les mains libres, je me suis retournée et j'ai posé les mains sur le chaton qui m'avait attrapé les cheveux. C'était fini. Je pouvais lui expliquer que j'avais 75 ans, il s'en fichait, et tout ce que j'avais dit depuis plus de trente ans venait de voler en éclats.

Ce chaton, qui était tombé d'un balcon du 5e étage, avait atterri au 2e, chez une dame d'un certain âge. Comme moi… Qui n'avait pas l'intention de le garder. Je suis revenue le lendemain, un samedi, jour de championnat du monde de rugby que je ne voulais manquer sous aucun prétexte, et Milord est arrivé à temps pour le match. Depuis, on ne s'est plus quittés !

Du jour au lendemain, tout a changé ; mon appartement qui, après le décès de Plick, avait été vide pendant trois ans a repris vie.
Évidemment, j'ai pris mes dispositions, et, s'il m'arrive un malheur, Milord sait déjà qu'il sera accueilli dans la famille qui prend soin de lui à chaque fois que je m'absente et à laquelle il est très attaché. Il a deux familles et gère très bien la chose.

On a un accord, Milord et moi, on se parle chat, ou pas chat. Et surtout nous partageons nos passions. Milord est un grand amateur d'opéra, comme moi. Notamment ceux de Verdi, car il aime l'action. Il peut rester trois heures devant l'écran. Dès que l'opéra commence, il s'installe sur la table, face à la télévision, et reste attentif jusqu'à la dernière mesure.

Il suit véritablement la représentation, comme celle de *La Traviata,* il ne l'écoute pas. Il voit véritablement les images et suit la retransmission. Au deuxième acte, lors du bal, il est ravi. Plus il y a d'action, comme dans *Don Carlos*, plus il est heureux. En revanche, il n'apprécie pas du tout les ballets. Alors que *Tannhäuser,* il adore ! Mais il n'éprouve aucun intérêt pour Bach ou Haydn, que j'adore, ni pour le jazz non plus.

Il n'aime pas que la musique : tout ce qui bouge le passionne, comme les diaporamas avec des oiseaux ou des chevaux.

Active comme j'ai toujours été, je n'ai jamais vraiment pris le temps. Aujourd'hui, les matins d'été, on prend le petit-déjeuner ensemble, Milord et moi, sur la terrasse. Il a raison, c'est bon d'aller *piano* de temps en temps.

J'ai toujours eu des chats amateurs d'art, sauf Plock qui était tout sauf un intellectuel : Piaf ou Mozart, pour lui, c'était du pareil au même ! 7 kg de tendresse, mais pas un gramme de culture, alors que sa sœur Plick était une grande amatrice de poésie – qu'elle m'écoutait lire à haute voix. Je l'appelais « mon intellectuelle de gauche » ! Elle adorait la musique religieuse, mais pas toutes ; elle détestait la viole de gambe dans le baroque, elle hurlait de réprobation. Sans avoir été ingénieur du son, Plick avait parfaitement compris comment fonctionnaient les enceintes de haute-fidélité. Elle s'installait exactement à l'endroit où on perçoit l'ensemble des sons. Et le jour où j'ai changé mes enceintes de place, elle a tout de suite compris où se placer pour être à l'endroit précis d'écoute idéale. Si je mettais les *Vêpres* de Rachmaninov, dirigée par Rostropovitch, dans ce qui est la plus belle interprétation du monde, elle accourait immédiatement, où qu'elle soit dans l'appartement, y compris si elle dormait.

S i j'avais eu le loisir de construire un chat, comme j'ai construit certaines de mes enceintes de haute-fidélité, j'aurais fait exactement Milord tel qu'il est – c'est vraiment le chat que j'aurais fabriqué. Il est le chat qui me guettait et qui savait que j'avais besoin de profiter du temps qui me reste.

Inspiré par
JACQUELINE PEKER,
vétérinaire retraitée,
présidente de la Société française d'homéopathie
www.jacquelinepeker.com

RINPOCHÉ PRINCESSE WUSSIK

Deux grands yeux bleus au fond du jardin

Il n'y a pas de hasard, seulement des chats qui entrent dans notre vie, pour nous inspirer des romans. Avant de rejoindre d'autres cieux, Bodhichatva, surnom affectueux de « Rinpoché Princesse Wussik », a été maître en sagesse de David Michie, un auteur australien.

J'ai grandi en Afrique du Sud, parmi les grands chats et la nature. Je suis ensuite allé à Londres où j'ai rencontré ma femme, une Australienne que j'ai suivie à Perth (Australie occidentale). J'ai toujours travaillé dans les relations presse et le management. L'approche de la méditation pour gérer le stress m'a toujours semblé excellente et la philosophie bouddhiste l'utilise à bon escient.

Nous avons loué une maison à Perth et je n'oublierai jamais le soir où, entre les barreaux de la grille, j'ai vu deux yeux qui brillaient comme le rayon qu'on cherche au loin sur l'horizon de l'océan. C'étaient ceux d'une Himalayenne, une chatte aux pattes de neige, qui venait de tourner son regard vers moi. Deux grands yeux bleus qui marchaient avec un port de reine, même si sa fourrure était en piètre état. Je n'arrivais pas à croire qu'un chat aussi beau soit errant. Elle est venue à moi et je l'ai caressée, puis elle est repartie. Ce fut une vision furtive et fugitive de la beauté féline.

Peu de temps après, j'ai dû retourner en Afrique du Sud pendant deux semaines, alors que c'était la période des pluies en Australie.
Et ma femme m'a dit que, pendant un orage particulièrement impressionnant, au milieu de la nuit et des éclairs, il y avait eu un bruit sec provenant de la porte de la cuisine – elle a d'abord sursauté, pensé à un fantôme,

mais elle a vite réalisé que c'était le claquement de la chatière qu'elle venait d'entendre. Elle a alors vu une chatte blanche, lessivée par la pluie, ressemblant à la princesse au petit pois du conte de fées, quand elle frappe à la porte du château, en haillons, défaite et en loques. Ma femme a pris une serviette, l'a épongée, séchée, réconfortée. Et dès le petit matin est allée lui acheter à manger.

Quand je suis rentré d'Afrique du Sud, elle s'était parfaitement acclimatée à la famille.
Wussik est un félin dans toute sa splendeur, avec une pointe d'arrogance feinte. Elle sait d'où elle vient et à quelle lignée elle appartient !
Je l'adore et elle a une façon bien à elle de s'étendre au milieu du couloir de tout son long. Je fais attention en passant de ne pas la déranger, mais elle ne peut s'empêcher de me lancer le bout de la patte – comme un lion d'Afrique du Sud – histoire de me rappeler qui est le boss ici !

Nous avons vécu tous les trois quelques mois, puis nous avons trouvé une maison en banlieue que nous avons achetée. Ma femme souhaitait bien sûr emmener Wussik, mais j'étais sceptique puisqu'il paraissait évident que cette chatte était celle du jardin et de la maison, et donc qu'elle avait eu ou avait encore des maîtres.

Nous avons interrogé le vétérinaire et découvert que ses maîtres avaient un Chihuahua avec qui le courant ne passait pas du tout. Eux-mêmes cherchaient à la placer. C'est comme cela qu'elle a officiellement intégré notre famille et nous a suivis dans la nouvelle maison.

Certaines de ses mésaventures ont inspiré *Le Chat du dalaï-lama*, car sa démarche chaloupée lui a valu de se faire courser par des labradors et d'avoir un abcès à la queue un jour où elle n'avait pas dû courir assez vite.

Son arrivée dans ma vie correspondait au moment où j'ai choisi de me former au bouddhisme. Le choix de son nom porte l'empreinte de mon cheminement.

Elle a d'abord failli s'appeler Freedom, qui lui allait bien, cheminant librement du jardin jusqu'à nous, comme l'énergie dans la nature. Mais finalement nous l'avons appelée Wussik, puis Princesse Wussik du trône de Saphir, en raison de son regard fascinant, qui capte tant d'émotions. Et finalement, Rinpoché (titre honorifique utilisé par les bouddhistes signifiant « maître de sagesse ») Princesse Wussik du trône de Saphir, car elle a contribué à ma formation.

Elle est devenue très proche de nous, à côté de moi en particulier en passant le plus clair de son temps sur mon bureau, et près de la fenêtre qui donne sur le jardin et la rue. Je lui ai d'ailleurs installé une panière au bout de mon bureau, qui lui permet d'être confortablement installée tout en ayant un œil dehors. Elle a surveillé et largement inspiré mes doigts, sur le clavier de mon ordinateur dont elle était très près.
Elle a rapidement pris l'habitude le matin de m'accompagner dans ma méditation.

Malheureusement, elle a développé un cancer de la gorge très agressif qui a modifié le son de son ronronnement d'une façon troublante. Je n'ai pas compris tout de suite la gravité de ce changement subtil. Et je me dis que j'aurais dû réagir avant…

Le vétérinaire nous a annoncé qu'il ne lui restait que quelques semaines à vivre, qui ont été paisibles, grâce à l'aide des corticoïdes. Ce n'est que le dernier samedi que les choses se sont dégradées brutalement ; elle n'a même pas été en mesure de profiter du barbecue qu'elle adorait tant. Et, en quelques jours, n'a plus été capable de boire de l'eau, dont elle aimait tant le mouvement. Nous l'avons fait endormir, car si le bouddhisme interdit formellement de tuer un être vivant, il admet qu'on puisse abréger les souffrances quand on ne peut pas les soulager autrement.

C'est arrivé au moment où j'étais en train de terminer l'écriture du *Chat du dalaï-lama*. Cela faisait plusieurs années que je pensais à écrire un livre à propos du chat que j'avais vu sur les genoux du dalaï-lama. Je trouvais qu'il ne pouvait pas y avoir meilleur ambassadeur de la philosophie bouddhiste que ce chat, vivant dans le Saint des Saints, si je puis dire, au plus près du quotidien de la vie d'un des hommes les plus sages de notre planète. L'idée qu'un chat témoigne, en pleine conscience, de son quotidien, des visiteurs, des conversations téléphoniques d'un tel homme, me paraissait pédagogique car cela permettait à chacun de mettre ses pas dans ceux du chat pour découvrir un monde et une façon de pensée différents.

Au départ, j'avais pensé à un projet très visuel, avec beaucoup de photos, mais cette idée n'a séduit aucun éditeur. Donc j'ai écouté la petite voix du chat et m'en suis fait l'interprète même, si au début j'ai craint d'être un peu ridicule.

Cela m'a pris un peu de temps, et je n'oublierai pas le samedi matin où, en plein milieu de ma séance de méditation – où je suis censé ne penser à rien, ce qui est la difficulté de l'art de méditer ! –, il m'est apparu clairement que j'allais écrire très exactement comme Princesse Wussik m'avait toujours parlé. Mais ça, c'est une autre histoire !

Dès ce moment, les mots ont coulé sous mes doigts sans difficulté et c'est ainsi que *Le Chat du dalaï-lama* est né, prolongeant sur le papier la vie de Rinpoché Princesse Wussik, dont l'esprit est toujours à mes côtés.

Par la fiction, elle m'a permis de parler de méditation, du bouddhisme à des gens qui jamais n'auraient acheté un livre sérieux comme ceux que j'ai écrits sur la méditation ou le développement personnel. Avec *Le Chat du dalaï-lama*, j'ai pu rendre plus faciles et agréables le voyage et l'initiation à la philosophie bouddhiste.

Je n'imaginais pas une seconde, en voyant ses yeux bleus derrière la barrière et son entrée en fanfare au milieu de l'orage, à quel point elle allait changer ma vie – car ce roman et ceux qui suivent ont été traduits en plus de vingt-cinq langues. Princesse Wussik a été la clé qui a ouvert une porte fermée au fond de mon cœur, et je lui en serai éternellement reconnaissant.

Inspiré par
DAVID MICHIE,
auteur de nombreux livres sur la gestion du stress, la méditation et le bouddhisme.
Son livre de fiction, *Le Chat du dalaï-lama*, connaît un succès international.
www.davidmichie.com

TABLE DES MATIÈRES